O CORPO INTERMINÁVEL

CLAUDIA LAGE

O CORPO INTERMINÁVEL

2ª edição

EDITORA RECORD
RIO DE JANEIRO • SÃO PAULO
2025

CIP-BRASIL. CATALOGAÇÃO NA PUBLICAÇÃO
SINDICATO NACIONAL DOS EDITORES DE LIVROS, RJ

Lage, Claudia
L17c O corpo interminável / Claudia Lage. – 2ª ed. – Rio de Janeiro: Record, 2025.
2ª ed.

ISBN 978-85-01-09651-7

1. Romance brasileiro. I. Título.

CDD: 869.3
19-58172 CDU: 82-31(81)

Vanessa Mafra Xavier Salgado – Bibliotecária – CRB-7/6644

Texto revisado segundo o novo Acordo Ortográfico da Língua Portuguesa.

Direitos exclusivos desta edição reservados pela
EDITORA RECORD LTDA.
Rua Argentina, 171 – Rio de Janeiro, RJ – 20921-380 – Tel.: (21) 2585-2000.

Impresso no Brasil

ISBN 978-85-01-09651-7

Atendimento e venda direta ao leitor:
sac@record.com.br

Para André, meu filho

AGRADEÇO

A Deil Lage e Flavia Lage, pelo apoio, amor e carinho de sempre.

A Flavia Lage de novo, fotógrafa incrível, por todas as dicas de livros, ensaios, ideias sobre fotografia.

À grande amiga Cristiane Brasileiro, por me acompanhar há tantos anos, na literatura e na vida.

A Douglas Tourinho, pela importante amizade desde o início.

A Adriana Lisboa, grande amiga e escritora, pelo seu olhar tão generoso e sensível.

A Carola Saavedra, grande amiga e escritora, pela generosidade e profundidade com que olha a escrita e a vida.

A Marianna Teixeira Soares, pela leitura e carinhosa parceria nos últimos anos.

A Duda Costa, pela leitura atenta e pelas sugestões tão importantes para este livro. A toda a equipe da Record.

A Jorge Amaral, pelas leituras e por tanto.

A André, pelas esperanças renovadas.

E ela continuou fruindo o próprio riso macio,
ela que não estava sendo devorada.
Não ser devorado é o sentimento mais perfeito.
Não ser devorado é o objetivo secreto de toda uma vida.

Clarice Lispector

Quem foi, Ehud, que apagou meu envoltório de luz,
quem em mim pergunta o irrespondível, quem não ouve,
quem envelhece tanto,
quem desgasta a ponta do meu dedo tateando tudo,
quem em mim não sente?

Hilda Hilst

Cada célula tem uma vida.
Há aqui bastantes para satisfazer uma nação.

Anne Sexton

[distâncias]

Estou sozinha e levanto o braço. Me pergunto se este gesto, por si, já demonstra insanidade, o braço levantado, o resto do corpo imóvel, a sala em silêncio. Se ergo um braço na rua estou chamando alguém, se ergo o braço no mercado vou pegar algo na prateleira, se ergo o braço na boate estou dançando, mas esse braço erguido para o nada entre as paredes, me diga, é o início da loucura?

Não sei se penso ou falo. Às vezes, escuto a minha voz e só depois de alguns segundos percebo, sou eu falando. Às vezes me assusto como se fosse de outra boca que saíssem as palavras.

Sonhei de novo com a toca do coelho. Estava lendo ou tinha acabado de ler o livro, não importa. No sonho, o livro nunca terminava, a última página me levava de volta à primeira e da primeira caía como num abismo na última. Eu caía, caía, como se o livro fosse a própria toca. Nas primeiras páginas, sempre me deparava com Alice perseguindo o coelho, mas dessa vez foi diferente, nesse sonho não havia coelho, havia apenas Alice. E Alice de repente me olhava, e só nesse instante em que ela me olhou entendi, eu também estava dentro do sonho, e no instante que entendi que estava dentro do sonho tudo começou a parecer mais real, só que numa realidade de sonho, na qual Alice não perseguia o coelho, mas me perseguia. Só que seu modo de me perseguir não era vir atrás de mim, eu é que ia atrás dela, como se a perseguição fosse o próprio elo magnético, atrair ou ser atraído era um detalhe entre nós.

A Alice do meu sonho era a menina loura de vestido azul do desenho animado, mas também era a Alice real da fotografia, a menina fotografada por Lewis Carroll. As duas imagens corriam, se sobrepunham, se confundiam, a Alice do desenho colorido e a Alice em preto e branco, a Alice de olhos azuis opacos e a Alice de olhos negros nublados. Eu também corria, mas quanto mais fugia mais me aproximava, e por mais que uma voz na minha mente soltasse gargalhadas, é só um sonho, por que você está correndo, caindo, ralando os joelhos, se levantando em desespero, por quê, a voz gargalhava, e por mais que eu soubesse que nada daquilo estava mesmo acontecendo, por mais que eu dissesse a mim mesma, nada disso é real, a grama não é real, é a grama escrita no livro, a ferida em meu joelho não é real, é a ferida inventada pelo meu sonho, por mais que eu dissesse, a queda, a dor, essa dor também não é real, então por que a estou sentindo, e por mais que eu repetisse, não é real, não é real, eu a sentia, fundo, e quanto mais a sentia mas sabia que não tinha escapatória, eu estava cada vez mais perto, elas estavam cada vez mais perto, elas, as Alices, iam me alcançar.

Então, um segundo antes de darmos o bote, as duas imagens se apertaram, se fundiram e num estalo se transformaram numa só. Uma estranha criatura, seria ainda uma menina, eu me perguntava olhando aquela bizarra mistura de formato e cores. Os olhos opacos do desenho animado emoldurados por um rosto que era para ser da menina de verdade, da menina da fotografia, mas não era mais, era outra coisa, e ao me virar para esse rosto, para essa coisa, foi como se o terror se manifestasse. A boca de Alice emitiu uma voz infantilizada de adulto, tudo nela era fantasmagórico, tudo nela me chamava, tudo em mim a atraía.

Alice agora era um monstro, e a toca do coelho tinha se tornado um buraco onde não cabia somente um coelho ou uma criança, mas uma pessoa grande. Um adulto. Mas por que um adulto ia entrar num buraco de terra, eu me perguntava no sonho, um buraco cavado em meio a um jardim, ou bosque, ou, de repente olhei ao redor e todo o verde tinha ido embora, o jardim tinha se transformado num cenário noturno e sombrio. De repente o buraco era um fosso escuro em meio ao nada. Tive medo. A voz infantilizada da Alice monstro se unia ao olhar direto e nublado da

Alice da fotografia. Eu via a menina, e a menina dentro do monstro me estendia a mão, como se quisesse me avisar de alguma coisa, algum perigo. Tentei falar, eu sei que estou em perigo, e ao abrir a boca, ao falar, você é um monstro, é claro que estou em perigo, a minha voz saiu dublada como no desenho animado. Gritei, eu não estou num desenho, estou num sonho, no meu sonho, de certa forma era um alívio dizer aquilo, o sonho era meu, mas na verdade eu não dizia nada, era como se o dublador tivesse apagado a minha voz e substituído por uma língua desconhecida, uma língua que não vinha do sonho, vinha talvez do buraco, uma língua que me engolia.

Tive um arrepio profundo. Eu estava na entrada do buraco. Se Alice monstro entrasse nele, eu a seguiria, como a Alice faz com o coelho no livro? Lembrei que a queda de Alice era longa e lenta, uma queda interminável, seria assim comigo? Eu cairia e olharia ao redor, o que teria no fosso, nas paredes do fosso, o que eu encontraria lá? Mas por que afinal eu estava tão certa de cair? De repente, as minhas mãos começaram a doer, uma dor insuportável. As juntas latejaram, como se tivessem feito um grande esforço. Mais fundo, Alice monstro falou de repente na sua língua, não era a minha, embora àquela altura eu não soubesse mais que língua falava. Mais fundo, Alice monstro repetiu como se eu estivesse dentro do buraco, escavando, embora eu estivesse em pé do lado de fora. O tom era de ordem, mas também de socorro, lá estava a menina, a menina dentro do monstro queria me ajudar ao mesmo tempo que pedia ajuda, ela queria que eu escavasse, eu respondia que não podia entrar no buraco, aquele buraco não era mais a toca do coelho, eu argumentava, era uma cova, eu tinha certeza de que era uma cova. A voz em minha mente gargalhou de novo, você pode ter certeza, mas é a certeza de um sonho, que se pega e se esfumaça no ar, por isso você diz que não vai entrar no buraco, mas o seu corpo está oscilando como se quisesse cair nele, por isso os seus pés se aproximam da margem. Não, eu reagia, só porque era um sonho eu não tinha que aceitar qualquer coisa, era uma cova e, por mais que eu gostasse do livro, eu não ia entrar numa cova, por mais que eu estivesse dormindo e nada daquilo estivesse acontecendo de verdade, eu não ia entrar numa cova, por mais que a cova fosse apenas uma imagem na minha cabeça, eu não ia entrar.

E quanto mais eu repetia que não ia, não ia, eu sentia o contrário, como se as palavras fossem uma chave mágica que me virava ao avesso. Eu queria estar em pé do lado de fora, mas sentia como se estivesse caindo, eu queria correr de volta para o jardim, para a minha cama, onde sonhava e tinha a certeza disso, mas sentia meus dedos perfurarem a terra, as unhas escavando, escavando até sangrar. A voz na minha mente continuava com as gargalhadas, você não tem certeza de nada, olha os seus pés entrando no buraco, olhe o seu corpo em desequilíbrio, olha os seus dedos entranhados na terra. Eu me virei para ela, para essa voz, e perguntei por que ela, estando na minha mente, tão perto dos meus pensamentos, desse centro em que tudo se inicia, era tão cruel, por que estando dentro de mim me assombrava, já não bastava a Alice monstro, já não bastava o meu livro preferido da infância ter se tornado um filme de terror. A voz gargalhava, você vai cair, você está caindo, você caiu, no sonho eu fechava os olhos para não ver que era verdade, mas o cheiro de terra, o sangue em minhas unhas, a vertigem. Comecei a bater na minha cabeça, para, gritei, para, batia e sentia a dor, como se fosse real, e de repente era, de repente, eu deitada na cama me batia, aterrorizada por essa voz, essa voz em mim mesma.

Eles falaram que eu ia enlouquecer. Antes de ir embora falaram, você vai enlouquecer aqui sozinha. Na mesma hora me abracei, de onde tiraram que não posso com meus próprios pensamentos? Ou a loucura dos outros seria por contraste a minha sanidade? Olhares sobre meus gestos, silêncios, palavras. Tenho me perguntado isso desde que fecharam a porta, desde que escolhi ficar. Fiquei porque estou num estado em que não consigo mais partir, há anos estou partindo, há anos não paro de ir embora.

Agora fecho os olhos e digo, estou aqui, estou aqui. O meu braço pesa, erguido no ar. A dormência, o fluxo do sangue, quase não aguento, por que insisto, o que quero provar? Já não há mais luta nem repouso, culpa nem arrependimento, o que há, me diga? Esses dias têm sido meus? Posso chamar de minha vida? Na verdade, são anos, mas não tenho lembrança que ocupe tanto, me diga, por quanto tempo um braço erguido consegue sustentar o próprio peso sem tombar de dor?

O nome, nenhum nome, a resposta é sempre não. O primeiro, aquele da infância, do nascimento, aquele gritado na hora do almoço, a janela aberta, menina tá na mesa, as sandálias corridas, saindo do pé, a amarelinha interrompida, como era mesmo, aquele nome do início, agora já não sei. Eles falaram que no armário, na parte de cima, tem uma caixa, nessa caixa estão os seus documentos, os falsos, o verdadeiro, como te chamaram, como te chamam, quem você é, quem não é mais, está tudo lá, pegue o certo, não vai confundir um com outro, na hora de voltar você vai precisar do verdadeiro, quem você é de verdade, como te chamavam quando nasceu? Esse é o seu nome, não esquece, vai lembrar? Vou, vou, vou, eles deixaram a caixa, viu, viu, viu, e se eu disser que ainda não abri esse lado do armário, que deixo fechado, mas se um dia eu abrir, pegar, tirar a caixa, os papéis na mão, você sabe o meu medo, diga.

O seu medo é falar um nome, depois outro outro outro e soar tudo igual, sentir coisa nenhuma. Como sentir, como saber? Já me chamaram de tanta coisa. É tanto nome bom antes misturado com ruim depois que foi ficando tudo igual. No início eu tinha uma palavra, uma palavra só que era a minha, agora são todas e nenhuma. Essa infinitude é o inferno, pergunto, será a grandeza o nosso maior engano, essa ousadia diante do abismo, a insistência, só o fazer redime o espírito, penso besteiras olhando a janela. Há quem viva lá embaixo, muitos de nós conseguem, conseguiram andar por aqui como em qualquer outro lugar. Estão sempre se adaptando, se acomodando, deitam num colchão, agarram um travesseiro, pronto, dormem e até sonham. Se eu fecho os olhos, o que vejo posso chamar de sonho? O que me aparece é a visão desse infinito, o que não acaba, desse inferno, o que não extingue, e a grandeza, eu falei pensando em vastidão, utopias, algo amplo, como abrir a janela e ver o fim da paisagem, saber que atrás do fim tem mais fim e começo, mas agora todas as manhãs abro os olhos e o que vejo? Abro os olhos e o que lembro? Eles foram embora e não me vigiam mais recolhendo o lixo, espanando pensamentos, procurando restos, cultivando miudezas. Quando chegamos aqui sem língua, sem roupa, sem dinheiro, sem forças, eu ainda podia afirmar alguma coisa, mas todo o saber foi se esvaindo como água da torneira, líquido escorregadio assim não junta como água do rio, não acumula como a do riacho, não transborda como a da cachoeira, não aprofunda como a do mar. Que falta da natureza, que falta de tanto. Mas o que houve? O que aconteceu? É como se o tempo estivesse esperando um lugar para eu desaguar, desaguei, e nem espero nada, porque todas as coisas já passaram.

Não sei mais. Parece que só entendo quando tudo acabou e todo mundo foi embora. Eu queria entender no meio do fogo, tem pessoas que são assim. Pegam o fogo na mão, no instante, engolem a chama ou espalham incêndio. Eu, só depois, sozinha, penso, ah, então foi isso, e sinto a cosquinha da brasa extinta na palma. A dor do fósforo quase apagado, o pontinho vermelho, a mísera chama.

[presenças]

A imagem do corpo nu estirado na cama não sai da minha cabeça. Mesmo exausto, com sono, vejo. Um dos braços caído para fora, os dedos tocando o chão. O outro braço sobre a barriga, como se repousasse. Os olhos abertos. Ninguém pensou em fechar os olhos, ninguém se importou com isso. Deixaram como estava. O olhar tinha essa surpresa, ninguém se importa. Era como se antecipasse tudo que ia acontecer depois, com o seu corpo, com o seu nome. Não me sai da cabeça essa imagem, essa consciência que está ali, palpável como o braço tombado para fora da cama, inútil como o outro braço esquecido sobre o abdômen. Andei o dia inteiro, atravessei ruas e sinais, com essa imagem na mente. Quando me deitei à noite, estava tão esgotado que não sentia o meu corpo, era quase uma morte, o meu sentimento. Logo, porém, vi como isso era ridículo. Em segundos, estava de pé, em segundos, jantava. Iria dormir, com certeza. Coloquei a foto na cabeceira. Poderia olhar a imagem novamente a qualquer momento. E fiz isso durante a madrugada, muitas vezes. Por quê? Nada havia me escapado. Eu queria mais detalhes? Os dedos roxos encostando no chão, as manchas sobre a pele, um olho mais aberto do que o outro, o rosto levemente virado, a infiltração na parede, a porta do armário quebrada, a roupa pendurada no cabide, o que eu queria?

Já tinha lido muito sobre aquilo, mas não visto, a imagem como um soco, não assim. Depois da leitura, eu costumava escrever alguma coisa. Era uma necessidade, sobre as palavras lidas colocar as minhas, mas nunca imediatamente, meu corpo precisava de um tempo, o tempo necessário para lidar com tudo, o tempo para o tempo agir, só depois, quando as palavras saíam do papel, tomavam outro rumo, eu anotava o que tinha restado. Melina me disse que eu faço o contrário, anoto a partir do esquecimento. Foi ela que me deu a foto, foi ela que disse, Daniel, veja isto. Dias depois, eu peguei a caneta, abri o caderno e nada me veio. Eu não sabia o que escrever.

O quarto pertence a um apartamento ou casa. Escolhi apartamento, apesar da imagem de alguém pulando o muro de uma casa para fugir me remontar a uma antiga ideia de liberdade e risco, uma ideia da infância. O apartamento tem escadas para lançar o corpo na fuga pesada e apressada para cima ou para baixo. Um prédio com a sua altura tem a ideia do encurralamento, da queda, por isso o escolhi. Porque este corpo na cama me passa a brusca sensação de que segundos antes a pessoa estava em pé, e caiu.

Não quero imaginar a queda, como o corpo se deitou, como chegou naquele quarto de paredes infiltradas, se subiu as escadas sozinho, se foi levado por outras pessoas, as vozes que ainda alcançavam os seus ouvidos, a violência das palavras ao jogarem-no na cama, o rangido do colchão velho, quando enfim tombou. Não consigo imaginar o último olhar dessas pessoas antes de saírem. Mas olharam? Não. Chamaram um fotógrafo para registrar a cena. Alguém que olhou para o corpo e para a cama e para o quarto buscando luz, enquadramento e foco. Ou não era um fotógrafo, apenas uma pessoa que estava ali para aquilo.

Estávamos procurando o mesmo livro na biblioteca, um livro com apenas um exemplar no catálogo. Estava sempre ali, na estante. Naquele momento, jazia aberto sobre a mesa, o meu tronco debruçado sobre suas páginas, quando senti uma presença atrás de mim. Era ela, inclinada e curiosa. Este livro que mofava na prateleira, que quase ninguém folheava, quase ninguém lia, Melina queria saber por que eu estava lendo.

Quando eu respondi que lia por causa dos meus pais, ou melhor, da minha mãe, que foi guerrilheira, que está na lista dos desaparecidos, como tantos estão, ela me pegou pelo braço. Fomos parar num bar ali perto. Melina não o lia por um motivo pessoal, ao menos foi o que disse, os seus pais viveram naquela época como se vivessem em qualquer outra — a voz baixa ao falar "como qualquer outra", como se sentisse vergonha, como se quisesse dizer que não sabia como isso era possível, viver em uma época imune ao que ela traz. Só depois que dividimos uma garrafa de vinho ela me disse que, sim, era também uma questão pessoal, de forma oposta à minha: ver aquilo que seus pais não viram, abrir os olhos para o que eles fecharam. Melina costumava ir à biblioteca pelas manhãs, enquanto eu ia às tardes. Sem saber, revezávamos o único exemplar do livro sem nunca nos cruzarmos, a não ser entre as páginas (estávamos praticamente no mesmo ponto). Naquele dia, trocamos as primeiras palavras, mas era como se já existissem outras. Como se em nós houvesse esse encontro, o da leitura, um outro tipo de presença.

Começamos a ler o livro juntos. Nos encontrávamos todos os dias na mesma hora, pela manhã. Mudei os meus horários para ver em seu rosto a mesma perplexidade que ela devia ver no meu, a cada página virada. Era quase um alívio, embora alívio não seja a palavra justa para o que líamos, era quase uma alegria, embora isso não seja verdade. Às vezes, durante a leitura, nos olhávamos, felizes. Estávamos lendo coisas terríveis, sofrendo com o alto grau de violência, repressão e medo. Era insuportável pensar que minha mãe havia vivido aquilo. Que os seus pais haviam ignorado tudo aquilo. Era insuportável pensar naquilo. Nesse momento, tirávamos os olhos do livro, exaustos, levantávamos o rosto e nos deparávamos um com o outro. Era a isso que me referia, a esta felicidade.

Às vezes, eu tentava anotar alguma coisa, ali mesmo, no calor da hora, mas a ponta do lápis mal levantava do papel, eu apagava o que havia escrito. Melina não escrevia nada, nunca tinha uma caneta ou caderno. Olhava demoradamente as páginas, como se as registrasse mentalmente. Já eu desviava logo os olhos, como se pudesse esquecê-las. Só depois, muito depois, conseguia escrever. Ainda assim, me sentia como se cometesse um equívoco. Um grande equívoco. Como se forçasse aquelas pessoas, tão reais, tão vivas dentro de suas lutas, desaparecimentos e mortes, a se tornarem meras referências em um texto, ou pior, personagens, meus personagens, como se eu impusesse a elas, depois de tudo que viveram, algo tão frágil, capaz de se desmantelar ao menor sopro, à mínima insistência, uma farsa, uma representação.

Havia um avô e um menino, contei à Melina, esse menino cresceu imerso no silêncio do avô. Não sei se era alegre ou triste, era uma criança que não sabia da sua história, não sabia de nada. Tento lembrar, mas não consigo, não consigo me aproximar desse menino, olhar para dentro dele, pensar o que ele pensava, sentir o que sentia, medir até onde percebia as suas circunstâncias, o seu isolamento, o que lhe faltava. Por muito tempo, não pensei na minha infância, era como se tivesse passado por ela de olhos fechados. A escola, os amigos, os livros, os cadernos, a professora. A professora que um dia chamou meu avô para uma conversa. Com a minha redação na mão, ela me olhava, foi você mesmo que escreveu? Sim, fui eu, mas ela não acreditava. Era preciso a confirmação do meu avô. Um menino não escreveria sobre a morte da própria mãe daquela maneira. O avô não apareceu, a professora, inconformada, não sabia o que fazer comigo. Um menino que imaginava a morte da mãe de diferentes formas. Que colocava sangue e violência nessas mortes. A diretora veio em socorro, a sua mãe pode aparecer, meu filho, a qualquer momento, o seu avô me disse, ela foi viajar, mas volta. Eu não consigo lembrar o que respondi, se acreditava ou se duvidava dessa volta. Já tinha escutado muitas vezes a palavra desaparecimento, já entendia o seu significado, alguém estar ali e de repente não estar mais. A professora tinha pedido uma redação sobre o que gostávamos de imaginar, aventuras e tesouros, monstros e tempestades, descobrimentos, ilhas, mas ela não esperava aquilo. Ele é só um menino, sussurrava para a diretora, a redação sobre a mesa.

A professora se deu ao trabalho de redigir uma carta ao meu avô. Que por favor não me deixasse ler os jornais, nem ouvir o noticiário no rádio ou assistir à televisão. Não é bom para uma criança entrar em contato com a realidade. Esta realidade. O meu avô deve ter achado a carta uma bobagem, amassou sem terminar de ler. Ele nunca escondia os jornais, nunca desligava o rádio nem a TV. Era um descuido, eu já havia aprendido a ler, escutava e via tudo com atenção. Hoje interpreto o seu gesto de outra forma. O gesto de amassar a carta, fazer do papel um bolo, fazer daquele apelo uma massa incompreensível. Ele queria que eu lesse, queria que eu visse e ouvisse. Era a sua forma de me dizer, já que não era capaz. Foi o seu modo de se redimir do silêncio que me impunha desde o meu nascimento. Que eu visse, escutasse, lesse. Desse gesto tenho forte lembrança. A pilha de jornal sobre a mesa, o rádio ligado na cozinha, a TV na sala, o meu avô sentado na sua cadeira, a carta da professora amassada e lançada ao chão. No dia seguinte, ela não se conformou de não receber nenhuma resposta. Havia uma parte específica que considerava muito importante: eu mal tinha aprendido a escrever, era um menino, não dominava a linguagem ainda, a caligrafia hesitante, como se tateasse o mundo, como se o percebesse de olhos semicerrados, e se eu era apenas uma criança iniciante naquele universo, sem o manejo nem a segurança da ordem e sentido das palavras, como era possível, aquela fúria, tanta violência, eram os meus primeiros passos, eu mal tinha começado.

Eu vi um documentário, Melina disse, uma produção latino-americana, acho que chilena, deve ser, já que tanta gente se refugiou lá. Nesse documentário, brasileiros tinham acabado de sair das prisões, das salas de tortura, tinham conseguido sobreviver a tudo isso e deixar o país. Eles estavam ali para contar suas histórias. Tinha um homem com um microfone, o jornalista, e outro, com uma câmera, que o acompanhava. Havia então uma câmera além da que filmava o que a gente via. Era uma câmera que a gente não via que filmava essa câmera que a gente via e que estava no ombro desse homem que estava ao lado do homem com microfone.

Eles circulavam pelo lugar, uma espécie de grande quintal, ocupado pelos brasileiros recém-chegados. Iam de grupo em grupo ouvir o que tinham a dizer. O documentário era sobre métodos de tortura. O jornalista perguntava se a pessoa tinha sido torturada e como, qual foi a técnica, o aparelho usado etc. E a pessoa ia contando, com o câmera que a gente via acompanhando, filmando-a em ângulos, se aproximando e se distanciando, em imagens que a gente não podia ver. Um rapaz se deitou no chão, cruzou as pernas e os braços mostrando como ficou pendurado numa vara. Outro levou o jornalista para um canto onde havia um aparelho muito usado nas torturas, e explicou como funcionava. Se sentou nele, explicando, eles amarram aqui, puxam ali, ligam isso etc. O jornalista ia perguntando detalhes e as pessoas iam respondendo detalhes. Uma moça, então, ao contar dos choques recebidos nos ouvidos, nos seios e na vagina, começou a rir. Está rindo de nervoso, pensei. Mas não era de nervoso. Está rindo de alívio, pensei. Mas não era de alívio. Duas semanas atrás, ela estava no Brasil, na prisão. Duas semanas atrás, ela levava choques nos ouvidos, nos seios, na vagina. Duas semanas depois, ela contava isso num quintal de outro país, rodeada de pessoas que passaram o mesmo. Os seus lábios não abandonavam o sorriso, como se fosse impossível o rosto se sustentar sem ele. As pessoas ao seu redor também começaram a rir. Todos riam. E não era de nervoso, não era de alívio. Riam de rir.

O câmera que a gente via estava bem perto do rosto dessa moça. Como seria essa imagem, fiquei pensando. A imagem ampliada da pele, dos olhos, dos lábios, enquanto ela contava a sua história. Os poros estariam abertos ou fechados, as pupilas dilatadas ou contraídas, os lábios trêmulos ou firmes ao sustentar o sorriso. Em algum lugar, entende, em algum lugar tinha que aparecer o esforço. Porque havia um esforço. Mesmo que a moça não soubesse, não pensasse nisso na hora, havia um esforço que criava essa distância, essa distância enorme, entre a palavra e o fato, entre a palavra e o sentimento. Ou talvez não fosse um esforço, fosse o próprio tempo, aquelas duas semanas, uma outra vida iniciada, o tempo que passa e muda o que parecia impossível mudar. Talvez fosse isso. Entre o que ela dizia e o que tinha vivido, entre a palavra e o riso, tinha de ter, um elo, um fio, algo que não os distanciasse tanto. Ou não era uma distância, o riso? Era, ao contrário, uma aproximação? E se o esforço dela fosse se aproximar de quem era antes de tudo aquilo? Uma moça que fala de tragédias com a leveza de quem não as vive. Uma moça que sorria.

Melina falava olhando o teto, uma mão largada na cama, a outra sobre o meu peito. A gente sempre se distancia de uma coisa para se aproximar de outra — os dedos quentes na minha pele, um lembrete de que o seu corpo não havia esquecido, era para mim que falava —, por mais que a gente não perceba, estamos sempre deixando coisas para trás. Anos depois, essa moça se jogou na frente de um trem, em Berlim. O olhar de Melina se perdeu de vez no teto. Ela via a cena, de repente estava na estação alemã, há décadas, na data exata. Era como se anotasse a chegada da moça na plataforma, a sua respiração, o cansaço extremo, a impossibilidade de sair daquele lugar, a impossibilidade de continuar daquela forma. O salto. Melina me abraçou. Falava do encontro do trem com o corpo da moça, o impacto, a extrema violência, enquanto nossas peles ficavam cada vez mais grudadas, enquanto ultrapassávamos o limite do abraço, chegávamos em outro lugar.

O número de suicídios de ex-guerrilheiros no exílio é maior do que se imagina, lemos uma vez na biblioteca, é uma conta que ainda não fechou, estava escrito no livro que não conseguíamos terminar, ao qual voltávamos sempre para rever uma passagem, para entender melhor um trecho. Pensamos nos nossos pais, no grande fosso entre nós, os vários exílios e golpes, no nosso nascimento, na nossa distância, no nosso passado. Melina foi morar com o pai quando a mãe morreu, no início da adolescência. Alguns anos antes, a mãe o expulsara de casa, fez as malas do marido e pôs na porta. Não aguento mais, ela disse quando ele chegou do trabalho. Para a filha, um dia você vai entender. Melina voltou a olhar o teto. Os seus nervos, o seu corpo, reagiam a tudo que lia, via, como algo pessoal. De alguma forma, a história da moça na estação de trem em Berlim tinha se tornado parte da sua história. Pertenciam à ela os guerrilheiros do documentário como pertencia o alheamento dos pais, a separação repentina, a mala na porta, como pertenciam as fotos, os filmes, os livros, os nossos corpos na cama, tudo que ainda havia para ser visto, lido, tudo que poderia ser revelado entre nós, nós que mal tínhamos nos encontrado.

eu digo péra aí, só um minuto, e saio da sala, entro no quarto, fecho a porta à chave, mas não adianta, você mal vê o meu corpo se levantar do sofá e vem atrás de mim, como se fosse impossível eu desaparecer por alguns instantes, a sala vazia, você e as paredes, como se isso fosse insuportável, você se levanta e me segue pelo corredor, eu à frente ouço os seus passos atrás de mim, não acredito, não acredito, só um minuto, eu disse, avisei, pedi, será que tenho que chegar a esse ponto, pedir, é um direito meu, me trancar no quarto, ficar sozinha, o que você está fazendo, ouço a sua voz, e rio, nada, mal cheguei, meus pés acabaram de atravessar o limiar da porta, as minhas mãos giraram há dois segundos a chave na fechadura, nada, nada, rio e sinto um mal-estar enorme, é a ânsia de novo, quero culpar você por esse enjoo, quero sentir raiva, me desvencilhar do seu corpo atrás de mim, em cima, ao lado, dentro, você bate na porta, você não entende, você quer que eu abra, você quer tudo, sinto um mal-estar enorme.

de repente abro a porta, o seu rosto surpreso, você não esperava tão cedo a minha obediência, você fica feliz, quase sorri, sempre me impressiono, como são satisfatórias para você essas míseras vitórias, não percebe que estou cansada, que essas discussões me esgotam, como se não houvesse outros embates, outras lutas, como se a única fosse esta entre nós, esse medir de forças constante, os corpos e bocas entrelaçados, as mentes entrelaçadas, dia e noite, noite e dia, um entrelaçamento inesgotável. estamos aqui trancados, lá fora é outro mundo, lá fora é um lugar que não existe, não sabíamos que sentiríamos tanta falta, que chegaríamos a essa exaustão, que o isolamento, a fuga, seria apenas isso, eu e você, você e eu. não sabemos até quando, é melhor a gente se reconciliar logo antes de avançar, antes de chegar no ponto, naquele ponto em que viramos a cara, emudecemos de raiva e indignação, falamos e escutamos o que não queremos, distorcemos todos os sons e expressões para o bem do nosso sofrimento, antes de chegar a isso, basta, é assim que tenho feito, a cada dia você procura uma briga, a cada dia encontro uma reconciliação. você me olha, me acusa, sei, a culpa é desse meu jeito, tão doce, você sempre diz, como se fosse algo fascinante, um encanto, essa doçura latente em mim, escassa em você, talvez seja isso, o fascínio pelo que nos falta. uma pessoa que gosta de flores, toalhas bonitas, pratos coloridos, é isso, o gosto pela harmonia, pelas formas impecáveis, é minha culpa, essa mania de jogar tudo fora antes do desgaste, do defeito, do rasgo, das manchas. Antes do primeiro sinal de esgotamento, quando ainda há a plenitude do material, da textura, das cores, quando o tempo e o uso não reduziram a vida ao desbotamento, é isso, você se sente puro rodeado de beleza, enquanto eu me ocupo com toda a sujeira. é o meu jeito, você me elogia, me acusa, sempre disposta a tirar o amargo das coisas, a colocar uma flor no jarro quebrado, a achar que tudo vai se ajeitar, que, cedo ou tarde, o mundo, o país, a família, eu, você, a gente, sobreviveremos, esqueceremos, cedo ou tarde, voltaremos à normalidade, a uma vida normal, a um mundo normal. você sabe, tomo vários banhos por dia, como se houvesse algo maior, uma sujeira interna, inalcançável, para ser retirada do meu corpo, de mim, e você me olha como se percebesse isso. olho, há algo em você, além da doçura, além da beleza, isso que te fez ir para as ruas, abandonar a casa, a família, que te faz ficar aqui, tão entregue, dedicada, que me assusta. não, isso é outra coisa, por que o susto, todo mundo tem um impulso mínimo que seja para persistir, seguir adiante, ainda me surpreendo quando você não me entende, quando o enigma cai entre nós, uma brutalidade, falo dessa sensação constante de acúmulo, algo que necessita ser limpo diariamente, que não pode acumular, pensei que você percebesse, eu. o que percebo, o que me assusta, é que você está aqui e não está, como se pudesse levantar a qualquer momento, ir embora, nunca mais voltar, se te chamarem, você vai, se você for necessária, você vai. claro, vou. estou aqui nesse apartamento para isso, para o que for necessário. e eu? você está comigo. você está esquisita. não estou. está. não estou. está. não estou. abre a boca. o quê. abre a boca. quer ver meus dentes? não, os dentes não. você não manda em mim, estou pedindo, não mandando, abre, não abro, abre. o que você quer ver? não quero dizer, não tenho obrigação. anda, anda, o seu tom é imperativo e eu obedeço. me sinto fraca, pequena, a minha boca aberta é uma renúncia, me renuncio, como aprendi, em nome de alguma paz, mas é como se eu caísse, uma queda, e aí tenho que levantar e começar tudo de novo. eu te amo, você diz, me surpreende, achei que daria uma segunda ordem, põe a língua para fora, fala aaaaaa ou qualquer outra coisa, mas eu te amo é mais eficaz, você tem razão, eu te amo perfura melhor. abro mais ainda a boca, como se pudesse, o máximo, o limite, você aproxima o rosto, um dentista profissional, olha as cavidades, eu reajo, você insiste, até que mete o dedo em cima embaixo e só então entendo, você procura uma cápsula, acha que eu seria capaz de me trancar no quarto, engolir veneno, morrer. te abraço, você não sabe, não demoraria tanto assim, nem teríamos esse tempo para discutir como se tivéssemos tempo, só então entendo, você está preocupado, não é só ordem, é mesmo amor, outra autoridade.

O mundo não é habitável, escrevi uma vez essa frase, que ficou numa folha de caderno solta em minha gaveta. Quando vou pegar um lápis, uma borracha, me deparo com ela, perdida em meio a outras anotações, e me pergunto qual foi o contexto dessa escrita, a motivação para dizer isso. E, principalmente, tenho me perguntado todas as vezes em que abro a gaveta e a leio, por que não jogo fora uma sentença tão pessimista, por que não descarto essa ideia de que é impossível habitar o mundo? Por outro lado, é uma afirmação que beira um romantismo singelo, quem disse afinal que o mundo deve ser habitável, no sentido de acolhedor, receptivo? É uma ingenuidade esperar isso. Fecho a gaveta, a frase é pretensiosa e ridícula, deveria estar no lixo há muito tempo. Ultimamente, porém, tenho pensado que ela surgiu durante as leituras com Melina na biblioteca, só pode ter sido naqueles momentos, em que a sensação de desamparo era tão forte que mal podíamos suportar. Ainda assim, não quero reconhecê-la, é um incômodo saber que fui eu que a escrevi, preferia que tivesse sido outra pessoa, uma pessoa sem tanto a imaginar sobre essas impossibilidades, de acolhida e assentamento. Uma pessoa sem corredores escuros e fedorentos em seu início, ou nem eram escuros os corredores e nem havia o mau cheiro, talvez tenha sido uma sala limpa e asséptica de um hospital, ou talvez não houvesse assepsia nem hospital nem médico, talvez não houvesse nada, apenas uma mulher e a sua barriga imensa, e uma criança dentro dela, e o sangue e a vagina rasgada e o nascimento. O nascimento de uma criança que não era esperada por ninguém, escrevo e me arrependo, era esperada pela mulher que a guardava dentro de si, quis dizer que não era esperada pelo mundo, mas assim sugiro que essa mulher que esperava a criança e também essa criança não contam nesse mundo, e não era isso o que eu queria dizer. Queria falar da solidão desses dois seres, a solidão extrema enquanto eram um só corpo, a absoluta quando se separaram. A criança arrancada da mãe não chegou a ser aninhada em seus braços. Não houve acalanto. Não houve o mútuo reconhecimento pelo cheiro, nem a emoção de encontrar fora do corpo uma parte de si. A criança foi arrancada. O breve instante da separação foi também o único encontro. Mas pode não ter sido assim, talvez tenha existido o abraço, o beijo, a procura do seio, o leite, algum tempo de contato entre os dois corpos já amalgamados tanto por dentro. Uma intimidade entranhada que se cheirava e se reconhecia. A criança é arrancada da mãe, esse gesto permanece, esse acontecimento marca tudo que virá depois. Talvez eu tenha escrito a frase nesse momento, na tomada de consciência de que tudo esteve, está e estará sempre impregnado, contaminado por esta ruptura, uma chegada inóspita ao mundo. Como escapar disso, mesmo pretensiosa e ridícula, ingenuamente romântica, como escapar desta afirmativa impressa com papel e tinta na gaveta.

O rosto do pai não está em nenhuma fotografia. O rosto da mãe está numa única foto dada pelo avô com a sentença, foi o que restou. A expressão congelada no tempo mostra uma jovem bela e sorridente, apenas isso, garoto. A foto lhe dizia pouco, mas era tudo o que tinha. O avô não falava, apesar das perguntas. O sorriso foi só para a foto, ou ela sorria sempre assim? Que lugar bonito é esse? Quem estava atrás da câmera? Foi o senhor quem tirou a foto? Foi o meu pai? O avô olhava o menino incomodado, depois olhava D. Jandira, a vizinha que aparecia sempre para um café. De onde esse garoto tira tanta pergunta, o avô reclamava. D. Jandira trazia bolo de laranja, sentava na cozinha e ficava até a hora do jantar. Sentavam, levantavam, num familiar estranhamento. Diante do prato vazio, o menino insistia. D. Jandira não tinha jeito de que ia falar, mas disse: não foi o seu avô quem tirou a foto. E só disse porque o senhor já tinha saído da cozinha, assistia na sala à TV. O menino ainda segurava a colher quando ouviu. Não sabemos quem estava atrás da câmera. Pode ter sido o seu pai. Mas não sabemos. D. Jandira o serviu de novo. O lugar bonito deve ser longe. Ou não. Pode ser qualquer lugar. O prato cheio até a borda, quase transbordando. Ela não sorriu só para a foto não. A sua mãe sorria sempre assim.

A madrugada chegou sem sono para o menino. Quando ficava assim, lembrava que estava no quarto de sua mãe, que dormia na cama dela. Talvez, naquele mesmo lençol, já que o avô não jogava nada fora. Usava até esgarçar os tecidos, até o próprio pano se roer, não suportar o desgaste imposto pelo tempo. O avô exigia o máximo, desvanecia tudo até o fim. Ele pensava no sorriso da mãe e fechava os olhos. O sorriso era quente e era como se ela estivesse ali, na cama em que dormia desde menina. Até no dia que não dormiu mais. O avô deixou a cama arrumada e vazia na esperança de a filha voltar, mas foi o menino quem a ocupou depois. Não era esperado, mas o avô o pôs ali. O menino ocupa o vazio deixado, uma substituição frustrada desde o início. Ele não sabe e fecha os olhos. Sabe apenas que dorme na mesma cama de sua mãe, que o avô não quis se desfazer dela – apesar de velha, apesar dos rangidos, apesar de tudo que ele não sabe – e que isso, de não se desfazer, de agarrar as coisas até o último fio, de insistir naquilo que já pediu desistência – às vezes era bom, muito bom.

Eu achava impossível uma casa de família sem álbum de família. Numa das vezes em que fiquei sozinho em casa, tomei coragem, mas era preciso ter cuidado. O avô sabia o lugar de tudo na casa. O lugar e a idade. A poltrona que fica ao lado direito do sofá tem vinte e cinco anos. A mesa no centro da sala tem dez anos, é nova, porque a anterior quebrou e não teve conserto. O que para outra pessoa é detalhe, como o enfeite sobre a mesa, a posição das caixas nos armários, para o avô não é. Por isso eu precisava prestar muita atenção. Como se cada coisa que eu tirava do lugar deixasse uma marca da sua ausência. Vazio que eu devia notar e preencher depois, da mesma forma que antes. O avô voltava dizendo que tinha ido ao mercado com uma ou duas sacolas no máximo, como se tivesse levado mais de duas horas para escolher as mercadorias e encher cada bolsa. Um tempo depois, D. Jandira aparecia com expressão disfarçada, como se fosse a primeira vez no dia que o encontrava, e eles falavam alto na cozinha para eu escutar na sala, como foi o dia hoje, o de sempre, fui ao mercado, eu ao banco, eu isso, você aquilo, tentando parecer muito natural. Eu escutava sem entender. Uma criança pode mentir por motivos bobos, sem importância, mas adultos não, só mentem quando o assunto é sério, eu pensava. Quando a verdade é feia e os acusa de algum erro, quando a verdade é insuportável e precisa ser substituída. E o fato era que o avô e D. Jandira faziam muitas substituições. Retiravam um acontecimento e colocavam outro no lugar, ajeitavam ao redor para disfarçar o encaixe do falso como verdadeiro. Só podia ser muito grave o que eles escondiam.

Eu já tinha vasculhado todas as caixas dentro do armário do meu quarto. O armário também tinha sido da minha mãe, como a cama, como as janelas de madeira, que graças ao avô nunca aderiram ao alumínio. A madeira da parte de dentro do armário e da janela tinha raspas, como grandes arranhões. Um dia, percebi numa das fissuras um pedacinho de papel colorido. Era o resto de uma foto, de um adesivo, de uma imagem qualquer. Eu nunca tinha reparado, a madeira tinha sido raspada para tirar as imagens. Fotos, adesivos, que deviam ser da minha mãe, que ela devia gostar muito, que deve ter colocado dentro do armário para ver sempre que abria a porta, ou na janela, para ficar olhando até dormir. Podia ser foto dela, do meu pai, de amigos, de um ator ou da sua banda preferida. Eu nunca vou saber. Se a madeira não tivesse sido raspada, eu poderia ter visto outra foto da minha mãe, ela estaria sorrindo também, como disse D. Jandira? – ou teria conhecido o rosto do meu pai. Talvez eu seja parecido com ele, talvez eu estranhasse a semelhança, como se visse, num espelho distorcido, os meus traços em outro rosto. Ou não, os traços dele é que estariam em meu rosto, porque são sempre os filhos que repetem os pais. Se a madeira não tivesse sido raspada, eu poderia ter conhecido o ator que ela olhava até dormir, teria visto um filme com ele, assistido às cenas pensando, os seus olhos tinham visto as mesmas imagens que os meus. Ou não, os meus é que teriam visto as mesmas imagens que os olhos da minha mãe, porque são sempre os filhos que veem depois. E a banda, se a madeira não tivesse sido raspada, eu poderia ter hoje todos os álbuns da sua banda preferida. De repente, até tenho e não sei. De repente, escuto as mesmas músicas que ela escutava. Pode ser. Eu poderia ouvir uma música e dizer, minha mãe gostava dessa música. E poderia ficar ouvindo a música de que ela gostava. Mas a madeira foi raspada, e eu não posso. A madeira foi raspada, e eu não sei.

No fundo do armário do meu avô, na parte de cima, havia umas caixas de papelão, lacradas há muitos anos. Bastaria uma inspeção, e ele descobriria que as caixas tinham sido abertas e fechadas recentemente. Mesmo assim, arrisquei. Não me saía da cabeça a ideia de que só se esconde aquilo que se tem para mostrar. Se dessa vez as compras não fossem apenas um disfarce para o meu avô ir na casa de D. Jandira, eu seria pego em flagrante, e não teria o que dizer, a não ser a verdade. Ficaríamos, eu e ele, cara a cara com a ausência.

Às vezes penso, eu preferia que ele tivesse chegado, me visto em cima da escada, com a caixa na mão. Antes de abri-la, de ver: fotos soltas e espalhadas. O meu avô jovem, o meu avô no exército, com amigos, com a minha avó – de quem pouco falava –, o casamento dos dois. A minha avó com um bebê no colo, a expressão cansada e radiante, o bebê no berço, o bebê no colo do meu avô, o bebê já crescido, uma criança de vestidinho, sorridente em alguma festa de aniversário, uma adolescente com espinhas. E lá embaixo da caixa, submerso, um álbum de fotografias, de capa amarelada. Depois de tantas fotos do meu avô, minha avó e de minha mãe bebê, menina de vestidinho e adolescente com espinhas, eu esperava uma sequência. Uma ordem estabelecida no universo das fotografias familiares, onde não existem hiatos. Esperava que meu avô tivesse mentido quando me entregou a foto de minha mãe jovem e sorridente em algum lugar bonito dizendo, foi o que restou. Esperava a substituição do falso pelo verdadeiro. Dou uma foto da mãe para o garoto, escondo as outras, e ele não faz mais perguntas. Não, eu queria que a verdade fosse desmascarada. Era a mentira que eu esperava ao abrir aquele álbum.

Eu podia ver o avô ao meu lado, dizendo, já te falei, quantas vezes vou ter que falar de novo. Mas a repetição se tornava cada vez menos convincente. O álbum estava vazio. Eu poderia concluir que o avô ia colocar as fotos e por algum motivo não pôs, mas o álbum tinha as marcas das fotografias, e as fotos soltas não encaixavam com as marcas. Os tamanhos e as bordas eram diferentes. A sequência fora interrompida. A ordem das fotografias familiares quebrada após a foto da adolescente com espinhas, como se nada tivesse acontecido depois. Mas o tempo cumpriu a sua lógica, e, da mesma forma que uma menina de vestido se tornou uma adolescente com espinhas, a adolescente com espinhas se tornou uma jovem, bela e sorridente. Foi isso que aconteceu. Por mais que se tente apagar, como a madeira raspada – mas nem a madeira raspada extinguiu todo o papel, o resto da imagem. As fotos sumiram, mas as marcas ficaram, sempre há algo que fica.

Melina faz perguntas que não posso responder. Quando você gosta de alguém, quer se aproximar não só da pessoa, mas também da sua história. Não bastam os pensamentos e emoções verbalizados, confirmados, na voz, no corpo, no olhar, não bastam, você gosta de alguém e quer mais. Quer aquilo que está por trás de todas essas coisas primeiras e primárias, mas eu não tinha respostas. Nada palpável, que poderia repetir sem erros. Há muitos erros entre a vida e as palavras, eles se tornam evidentes na medida em que nos aproximamos uns dos outros. O mais perigoso talvez seja o de deduzir que a pessoa à sua frente é decorrência do que lhe aconteceu ou do que lhe faltou, quando somos feitos de tantas interferências e interseções. Se eu digo para Melina que fui um menino sensível, rodeado de livros, que tinha um caderno no qual escrevia incessantemente, logo me vem a imagem do garoto de joelhos ralados pulando o muro de casa, tacando pedras em cachorros e matando com estilingue passarinhos. Fui esses meninos, mas sou e não sou nenhum. Se uma lembrança tão pequena já nos coloca contra a parede, o que dizer do resto, do que se evita lembrar, de tudo de que não tivemos conhecimento, essas lacunas insistentes — quanto maiores, mais capazes de nos contradizer.

Mostrei à Melina o que escrevi, quando não apagava ou jogava no lixo. Ela me pediu que continuasse, mas para que estender isso, a agonia desse menino que nunca vou recuperar, e para quê, não é a mim que buscava quando escrevia, quando acreditava que era possível com a escrita capturar pessoas e acontecimentos, eu a via assim, como um organismo, algo concreto, como uma fotografia, a escrita como a alma revelada de uma foto, uma possibilidade de olhar por dentro e entender um instante, o instante. Mas não é possível, tudo escapa, e tudo que Melina leu e lê é apenas o sintoma desse escape. Tudo que já contamos um para o outro também, o pouco que pudemos reter, o tanto que não conseguimos captar. Melina me fala que não tem conseguido visitar o pai na casa de repouso. Foi uma decisão difícil, levá-lo para lá. Foi como assumir que não havia mais nada que eu pudesse fazer, a não ser deixá-lo afundar no esquecimento. O pai adoeceu da memória antes de adoecer do corpo. O seu corpo sempre foi forte e resistiu. No dia em que o levei para o asilo, tive um pressentimento. O que aconteceu, perguntei a ele, antes de sairmos. Eu adoeci, foi a resposta rápida, como se fosse algo muito natural, e a sua mãe também, antes de mim. Ela sempre foi mais fraca. O meu pai se orgulhava dos seus músculos. Um dia você vai entender, a minha mãe disse, quando o expulsou de casa. Precisamos conversar, filha, ela também me disse no hospital, antes de morrer. Ouvir a minha mãe me chamar daquele modo, remontando ao nosso vínculo primordial, foi um aviso que eu não podia ter ignorado. Alguma ancestralidade se perdeu ali, no que ela não pôde me dizer. Enquanto você escreve, Daniel, eu tento juntar as lembranças, essa mistura de imagens e palavras, mas o que consigo? Algo aparentemente verdadeiro, porque semelhante a uma possível realidade, algo profundamente falso, justamente porque apenas se assemelha.

Sinto muito, digo à Melina, mas olho o que escrevo como uma tentativa, um esforço. Qualquer coisa que escrever agora será ao redor de um centro inseguro, uma descrição que pouco alcança, nada revela, uma junção de palavras e efeitos, não me reconheço e não posso me reconhecer em nenhum lugar ali. Não lembro de nenhuma sensação de conforto ao dormir na cama da minha mãe, não era nela nem em seu sorriso que pensava, mas na sua ausência e na sua morte nunca confirmada, no seu corpo que não estava, que não se podia ver nem tocar, isso me assombrava, como um monstro no armário, mas muito pior do que um monstro no armário, porque eu sentia em minha pele, era um horror real. E o adesivo arranhado na janela, é verdade, existe, está lá, na casa do meu avô, no apartamento em que fui criado e para o qual não consigo voltar, o apartamento que esvaziei o mais rápido possível assim que ele faleceu, que está à venda, à espera de outros moradores, outras ocupações. Há mesmo um pedaço de adesivo arranhado na janela de madeira do quarto da minha mãe que depois se tornou o meu, mas para que fazer disso algo importante? Para que essa melancolia, uma moça olhando a janela antes de dormir, antes de acordar e desaparecer, olhando a imagem de um ator ou de qualquer outra coisa de que ela gostasse, para quê, me pergunto, te pergunto, essa visão idílica de algo que se esvai, mas resiste. Eu quase escrevi, talvez tenha escrito, não importa o quanto se tente apagar algo, destruir alguém, sempre há alguma coisa que sobrevive: mas não, cairia mais uma vez nessa busca idílica, uma imagem literária de uma sofrida e bela esperança, não, até os restos são abandonados, escondidos ou destruídos. Nada sobra. Ninguém. É tão pouco falar do adesivo na janela e da moça que o olhava, um esforço, sei, de arrancar essa moça do passado desse menino, desse filho, como algo inalcançável, uma imagem etérea e única num retrato, e trazê-la para o quarto, para a casa, colocá-la andando entre os cômodos e se preparando para dormir, ou acabando de acordar, esse é o verdadeiro sofrimento desse filho, que não consegue imaginar a mãe como uma pessoa que se pode encontrar na esquina, uma pessoa que existiu, mas é tão pouco quando há algo maior aí que se cala, pessoas que foram arrancadas de suas casas, de suas famílias, e sumiram depois de longas sessões de torturas, jogadas no fundo do mar, incineradas em fornos a lenha, industriais, ou enterradas em cemitérios clandestinos. São a essas pessoas transformadas em corpos que a moça que olhava o adesivo na janela se une, e não é que a agonia desse filho que perdeu a mãe, que só a encontrou no momento da despedida, não importe, não só importa como se junta a outros filhos e filhas, uma grande massa de crianças e adultos arrancados da própria vida. Se fosse escrever novamente sobre isso, o que não farei, eu contaria que antes de fechar o apartamento do meu avô pela última vez, antes de olhar a sala e os outros cômodos vazios, a pintura velha e ressecada, as paredes com as marcas dos móveis, o chão desgastado de tantos passos, eu, munido de pano e detergente, pano e alvejante, pano e removedor, escova de cerdas finas, escova de cerdas grossas, tirei o restante do adesivo, a maldita cola grudada havia décadas na madeira, arranquei tudo com vigor, com empenho, e, por que não dizer, por que não enfatizar, com raiva, e depois ainda passei óleo de peroba, uma camada, duas, três, muitas, não há nada mais ali.

à noite é mais difícil escapar da força dos seus braços das suas pernas, elas se encaixam como uma chave perfeita sobre as minhas, me impedem de simples movimentos como me virar, me levantar, viver. deixo meus braços sobre os seus, como se te abraçasse, mas é apenas a posição que consigo fazer nessas circunstâncias, meus dedos às vezes se esquecem da raiva e te acariciam distraídos, se enroscam nos pelos, alisam a maciez árida da pele. você não sabe o motivo da minha raiva, não entende, se sente traído, me acusa de descontar em você o ódio por todas as outras coisas, não é justo, você me diz, estou aqui por sua causa, não acredito em nada disso, para mim o mundo a política o país que tudo se foda, estou aqui por você e você me odeia. não odeio, os meus dedos dizem isso à sua pele todas as noites quando você me aperta o ventre, a barriga, em algum momento vou ter que dizer, não aperte tanto, às vezes, quando o enjoo é muito grande, sou obrigada a te empurrar com força, não aperte tanto, é preciso ter cuidado, não aperte. quando a náusea invade todo o meu corpo sou forçada a me desvencilhar e ir correndo ao banheiro, você se vira para o outro lado e dorme sem perceber a minha força, a minha ausência. eu me surpreendo por ter conseguido me livrar do peso das suas pernas, do nó dos seus braços, parecia impossível, mas no espelho do banheiro vejo meu rosto repleto de enjoo e alívio, o vômito sai num jato, ligo a torneira para você não escutar, mesmo que não acorde, não quero que escute nem mesmo dentro dos sonhos. me debruço sobre o vaso, até quando, pergunto, até quando vou conseguir esconder, eu não esperava tanto nojo, tanto enjoo, tanta raiva, pensava que era amor, dizem que é só amor, mas como pode ser, a pele se esgarça, os órgãos mudam de lugar, se comprimem, primeiro por dentro, como um rolo compressor, depois por fora, como uma bolha elástica, um bola de líquidos e gosmas. o vômito sai num jato, a acidez me deixa tonta, a barriga se contrai de dor, quando você descobrir, como vou explicar que o meu corpo errou, se precipitou como se fosse a hora, como se tivéssemos tempo, não é o momento para isso, esse germinar, como vou dizer que não estou pronta, que você não está pronto, que nunca estaremos. você vai querer me tirar daqui, me colocar numa casa com a sua família, arrumar um emprego com o seu pai, comprar um berço e uma cadeira de balanço, eu sei, vai pedir para a sua mãe me contar tudo, despejar as gerações de maternidade sobre mim, os conselhos, as crenças e sacrifícios em nome do quê. a minha barriga cresce dia a dia, e você ainda não percebeu, evito ficar de lado para que perceba, o pequeno ovo, o formato mínimo, como uma semente, em outro momento acharia infinitamente bonito, esse despertar destrutivo, exaltaria a natureza, a biologia, nossa animalidade instintiva, mas no momento amaldiçoo essa capacidade do corpo de procriar apesar das circunstâncias, ele reivindica a sua própria luta sem considerar que estamos em outras, maldito corpo, maldita natureza.

a sua voz atrás da porta do banheiro me assusta, a sua voz dentro da noite, acordei e não te vi, acordei e você tinha desaparecido, você reclama a minha ausência, reclama a minha presença, você não sabe o que fazer comigo. escutei um barulho, você vomitou, não, não, minto, mas você insiste que escutou aquele som, o do esgarçar das vísceras, não fala assim, a ânsia me sobe de novo, estou brincando, você explica, e lamenta termos chegado a esse ponto, de explicar as brincadeiras. choro. você tem razão, ríamos tanto, pra onde foi a leveza? para o passado, antes disso tudo, você está certo, antes dessas quatro paredes éramos felizes, tínhamos horizontes, agora resistimos apenas para não tombar de vez. estamos sábios essa noite, você ri atrás da porta. não exige que eu abra, como costuma fazer. por isso mesmo, por essa pequena liberdade, eu abro e volto para a cama. você vomitou sim, você sente o cheiro ácido no ar, e uma luz passa pelo seu rosto, você não tem comido direito, tem chorado muito, está esquisita, está grávida. eu me cubro até a cabeça, não respondo, finjo que durmo, você aceita a minha representação, se deita ao meu lado, não me imobiliza com as pernas, os joelhos não pesam sobre o meu ventre, nenhum peso. eu respiro, você respira, respiramos, como nos enganamos nesse momento, e tão conscientes do engano, mas como se fosse irresistível, um sono que nos pegasse de surpresa, nos entorpecesse, sem nos considerar de fato, apenas os nossos corpos, e esse sopro, esse respirar.

Depois de encontrar as fotos soltas, o álbum vazio, o menino pensava que o avô mentia sobre a morte da mãe. Ela desapareceu, ele disse uma única vez. Sem aviso nem despedida. Foi isso. Faltou com a verdade. Comigo, o pai. O menino pensava que o avô também faltava. É só um garoto, aconselhava D. Jandira, não precisa dizer nada. Um dia ele vai saber. Quando crescer, quando for um homem. Não é preciso dizer nada.

O menino não se conformava, entrou no quarto do avô, revirou as caixas. Esqueceu de manter tudo em seu devido lugar, ou não havia esquecido, havia descoberto que o devido lugar não existe, só faz a gente pensar que existe pelo hábito das coisas não saírem dele, criarem marcas, raízes e não se moverem de jeito nenhum. O avô assistia à televisão, D. Jandira fazia o jantar, quando ouviram barulho vindo lá de dentro. Era ele, que num impulso invadiu o quarto, escalou o armário até as caixas, derrubou todas, lançando as fotos pelos ares, o teto, as paredes, o chão, até que parou exausto, enquanto o avô e D. Jandira chegavam escandalizados.

Cada adulto tem um jeito de reagir à desobediência de uma criança, e o jeito do avô foi levar a mão ao peito, os olhos cravados nas fotos espalhadas. Não disse nada, pegou o neto pelo braço e o arrastou até a sala. D. Jandira foi atrás, e, ao contrário do avô, falava. O menino era uma criatura terrível, tirava a paz e o sono do avô – D. Jandira se impressionara com o gesto teatral, a mão no peito, na altura do coração –, Deus queira que não lhe tire também a vida! A senhora puxou o garoto, tomando a vez do avô de aplicar o castigo.

Era uma forma de protegê-lo, de dizer a esse senhor, eu posso cuidar de você. Com a sua ladainha indignada, trancou-o no quarto escuro.

A vizinha guardou a chave, pensando que no final das contas aquilo ia fazer bem ao menino, a escuridão. Pensa no que você tem feito, no quanto aborrece o seu avô, pensa enquanto olha a parede, enquanto sente falta da luz, enquanto treme de medo. Pensa.

Assim o moleque aprende, o moleque para com essa mania de pergunta. Não estava no inverno, não ia sentir frio. Não estava no verão, não ia sentir calor. Já tinha comido e bebido, não ia morrer de fome nem de sede. D. Jandira segurava a mão do senhor, uma mão áspera e calosa que lhe dava arrepios. Ele precisa respeitar o seu silêncio, ele precisa aprender.

No dia seguinte, diante da estante, o menino pensava, por que ela foi movida de lugar, por que foi tirada de onde estava, colocada no quartinho, e logo pelo avô, que mantinha tudo em seu lugar original, como se as coisas nunca pudessem se mover, como se tudo correspondesse a uma lógica de espaço, de apropriação. O avô vivia dizendo isso, tudo tem o seu lugar no mundo. Uma pessoa, uma cadeira, um carro, um animal. Não tire a cadeira do seu lugar e a ponha no meio da rua. Não tire o carro da rua e o ponha na casa do cachorro. Não tire o cachorro de sua casa e o ponha na cama de uma pessoa. Não tire a pessoa de sua cama e a ponha debaixo de uma cadeira. Não bagunce o mundo, o avô se irritava, uma palavra fora de hora, uma xícara de café antes de dormir, não o torne imprestável, não bagunce o mundo.

Mas a estante ficava na sala desde o início, quando aquele apartamento começou a ser ocupado, um instante depois do vazio. Os livros da sua mãe lá, quando ela também ocupava a casa. E o menino diante da estante no quarto dos fundos, espremida em um canto. Com jeito de deslocada, no tempo e no espaço, com jeito de que não deveria estar ali. É uma estante que não cumpre plenamente o seu dever. Há latas, caixas, ferramentas. Revistas, jornais velhos empilhados. Poucos livros. Enciclopédias. História. Biologia. Astronomia. A formação da sociedade, a composição dos corpos, a origem do universo. O avô se interessa por essas coisas, o começo do mundo, deve ser só para poder acusá-lo de ter mudado depois. A estante do avô contraria as suas próprias leis. Deslocada de sua origem, abriga poucos volumes. O menino mexe nos jornais amarelados, os dedos sentem o ressecamento. Sentem também algo diferente, entre as pilhas, outra textura, outra sensação. Os dedos mergulham, criam vãos entre as folhas dos jornais até alcançarem, até puxarem, até ele ver, um livro. A capa rasgada, algumas páginas soltas, outras perdidas, um livro incompleto em suas mãos.

Tenho certeza de que estas não são as palavras certas, disse a pobre Alice, a frase sublinhada várias vezes, a tinta azul reforçando o que estava escrito. Alice cai num buraco sem fim, estava escrito na margem da página. O menino teve um estremecimento ao ver a caligrafia circular, firme, tão parecida com a sua. Sim, se olhasse bem, via traços bem próximos. O jeito de arredondar as vogais, de esticar os Ls, cruzar os Ts. Era a letra da sua mãe? No início do livro o nome, a data, a assinatura afirmando, este livro é meu. *Lá se foi Alice,* estava repetido na margem o texto original. Por que ela repetiria a frase já escrita? Por que se repete uma frase, ou qualquer coisa? O que a repetição traz que já não existe na primeira vez?

O menino escondeu o livro debaixo da blusa, sabendo que o avô podia voltar ali, enfiar a mão entre os jornais e não encontrá-lo. Arriscava-se porque precisava se arriscar. Para os riscos necessários não se deve ter medo, ouviu uma vez D. Jandira, em relação a outra coisa, algo que ele não sabia, e na sua idade não podia mesmo saber, resmungou a senhora. Ele leva o livro para o seu quarto. Mesmo incompleto, há tanto ali. Folheia as páginas, atrás da história de Alice, atrás de quem a leu, uma perseguição de instantes perdidos, uma perseguição fracassada. Quase escuta a voz da mãe, como se ela estivesse ali. Sentada no sofá, lendo. Naquele mesmo sofá. A cabeça inclinada, alguns fios de cabelos caídos sobre o rosto. Alice perde de vista os próprios pés, ela leria. Seria assim, a sua voz ressoaria na casa. A sua voz seria a sua presença. Alice não conhece mais o próprio tamanho, estava escrito à margem da página. A mãe fazia sempre anotações quando Alice encolhe, estica, encolhe, como se se importasse muito com isso, de esticar e encolher.

O que um livro pode dizer sobre o seu leitor, perguntei à Melina, enquanto derrubávamos uma garrafa de vinho, enquanto fingíamos que fazíamos apenas isso, considerações abstratas sobre pessoas, livros, sobre o ordinário e o horror dos nossos dias, enquanto o vermelho escuro da bebida descia em nossas gargantas. O que um livro pode dizer quando se torna um dos únicos objetos que restou de alguém, quando, pela aparência da capa, o estado das folhas, se deduz que foi bastante manuseado, talvez lido e relido, talvez emprestado para outras pessoas, que o leram e releram. Mas, por outro lado, se o livro tem anotações nas margens, que é uma forte demonstração de apego, provavelmente não foi emprestado, não saiu de perto de quem o leu. Há algo mais íntimo do que anotar num livro enquanto o lê? Há algo mais necessário do que fazer essas anotações num espaço tão pequeno? Em quase todas as páginas, há grifos, observações, às vezes somente repetições. Frases copiadas fielmente do original, era o que mais espantava. Por que o eco, a necessidade de escrever o que fora lido, letra por letra? Qual era o motivo de frisar aquelas palavras, aquelas ideias, aquelas imagens? E por que não, Melina disse. A sua pergunta deveria ser outra, do que a pessoa — o leitor — queria se aproximar, do que queria a revelação e confirmação? E por que você está dizendo o leitor — a pessoa — quando você sabe de quem se trata, uma leitora: uma mulher: a sua mãe.

As várias edições de *Alice* na minha estante. Melina me acusa (foi uma acusação), ignorando o menino que leu um livro infantil com as páginas incompletas, sem saber em quais circunstâncias elas se perderam, intuindo, talvez, que não tenham sido banais, como as folhas se soltarem com o uso, ou facilmente explicáveis, como uma cola ressecada ou uma impressão de má qualidade. O livro inteiro lido apesar das lacunas, o medo intercalando cada palavra, as pausas na leitura dominadas pelo assombro, um livro para crianças que podem se dar ao luxo de se imaginar caindo num buraco escuro, que podem vivenciar sem riscos na imaginação o que é o afastamento do núcleo familiar, ver isso como um sonho de alívio e liberdade, quando para esse menino as aventuras de Alice andavam paralelas com as frases anotadas nas margens, mensagens na garrafa que podiam ser avisos de perigos, pedidos de socorro, desabafos em momentos de angústia e desespero, a desesperança e o espanto diante da realidade brutal e absurda. Se para Alice tudo soa como uma fantasia, um deslumbramento (doído) das maravilhas, para essa leitora o pavor e a perplexidade tomavam as formas mais cotidianas, o absurdo se travestia do ordinário, o delírio do real. E o pequeno leitor, o menino, tinha diante dos olhos essas narrativas, a da personagem e da leitora, assaltado simultaneamente por ambas e incapaz de lidar com nenhuma. Narrativas que nunca se separariam, não importa se mais tarde, adulto, adquiriu vários exemplares novos deste mesmo livro, com margens virgens, inócuas. Não importa se mais tarde, adulto, decorou as páginas que faltavam, perdidas ou arrancadas, se sabia de cor as lacunas, com o pressentimento de que nessa falta podia haver alguma revelação. Porque é difícil, Melina, chegar a este ponto e não ter para onde ir. As várias edições de *Alice* na minha estante, as diferentes traduções, eram apenas isso, renovadas esperanças de captar alguma mensagem, decifrar algum enigma. Por que um livro infantil em meio à barbárie? Ela comprou, ganhou este livro? Talvez tivesse um significado especial, talvez o tivesse ganhado menina, talvez *Alice* tenha acompanhado a sua infância, e o sabor primeiro da leitura era o deslumbre e o encantamento, mundos novos e descobertos, uma lembrança da infância que ela queria preservar, e talvez por isso o livro a acompanhou nos momentos mais difíceis, que só posso imaginar ou deduzir. Porque se digo que essa leitora, essa mulher, escreveu nas margens do livro, não por hábito, mas porque não havia outro lugar para escrever, ergo ao seu redor um ambiente sem papéis à vista, estou construindo um contexto onde a possibilidade de escrever seja arriscada, melhor não chamar atenção, permanecer de forma insuspeita, a escrita dentro de um livro também insuspeito, um livro sobre uma garota no país das maravilhas, um livro para crianças, nada mais pueril, nada mais inocente do que uma criança e um livro.

A minha família tinha uma casa em Petrópolis, Melina falou, o rosto muito próximo, nossos corpos deitados virados um para o outro. Íamos sempre para lá nos finais de semana, nas férias. A viagem era muito bonita, árvores por todos os lados, cheiro de eucalipto, montanhas gigantescas e a sensação de que não parávamos de subir, subir. Eu imaginava que ultrapassávamos a altura de prédios enormes, a cidade e as pessoas minúsculas até desaparecerem completamente. Se eu fosse contar isso em algum lugar, para desconhecidos, começaria assim, com uma descrição da natureza, um sentimento de nostalgia da infância, mas estou contando para você. Vou pular essa parte e ir para o que importa, que é essa menina dentro do carro, o pai no volante, a mãe no banco do carona, subindo a serra, entrando e saindo das ruas arborizadas, o sol frio, o cachorrinho no colo, acariciado, o carro subindo, essa família com planos de passeios, férias, a menina acarinhando o cachorro, o carro entrando numa determinada rua, passando por uma determinada casa, pintada de branco, janelas de madeira envernizadas, o sol frio, o portão florido, a família de férias, a casa branca, a menina com o cachorrinho, o pai no volante, a mãe no banco do carona, as férias passando pela casa branca e seguindo, isso é o mais importante, passávamos pelo pior toda hora, entre os passeios, a ida à padaria, ao mercado, à pracinha, ficávamos semanas tão perto dos porões escuros e não ouvíamos um grito, um choro, um tiro, nada.

Anos depois, décadas, quando já tínhamos vendido a nossa casa, quando aquele endereço por onde sempre passávamos já havia se revelado como o lugar de onde ninguém saía vivo, eu voltei. Quando descobrimos o que acontecia dentro daquelas paredes? Não consigo me lembrar. Quando as minhas lembranças de infância foram contaminadas por essa descoberta? O que eu fiz? O que meus pais fizeram? Como foram as nossas reações? Não lembro. O que aconteceu com a minha memória? Não sei.

Os meus pais venderam a casa e se separaram, ou se separaram e venderam a casa. Uma coisa está tão relacionada a outra que não consigo definir a ordem dos acontecimentos. Quando voltei lá, não voltei apenas pela Casa da Morte, como ficou conhecida depois, voltei também pela minha casa da infância. Voltei por aquele trajeto percorrido entre a inocência e o horror. Voltei pela menina que nada sabia e pela mulher que sabe. Voltei pelo espanto. Não há nenhum registro do que aconteceu. É uma casa como outra qualquer. Pedidos já foram feitos, protocolados. Mas ela ainda está lá, como se nada tivesse acontecido. Você pode dizer esse endereço à maioria das pessoas sem obter nenhuma reação. Eu fui lá outras vezes, parava diante da casa branca, depois caminhava, subia as ruas até a casa que pertenceu à minha família. Ficava parada em frente. Depois voltava a pé novamente até a casa branca. Ficava parada em frente. Depois virava as costas e descia até onde havia estacionado o carro, sem olhar para trás. Eu olhava as duas casas com uma angústia enorme, o que havia acontecido em ambas me escapava completamente. Talvez seja esse o olhar da infância para o mundo dos adultos, que tudo lhe escapa, que tudo lhe é incompreensível e estarrecedor.

Nos abraçamos. O corpo de Melina é firme e macio, mas o nosso abraço sempre ultrapassa nossos corpos, essa sensação primeira, o afeto imediato de estarmos ali, nus e tão próximos. Atinge outras épocas, outros lugares, atinge o que dizemos e ouvimos, atinge o que ainda nem podemos dizer e ouvir. Olho a pele de Melina, a superfície uniforme, intacta, e penso como seria amar alguém que sobreviveu àquela casa. A pele com reentrâncias, nódulos, cicatrizes. Os anos passados, a vida renovada, mas as marcas persistentes no corpo, que não deixam dúvidas de que aquilo aconteceu. Como seria se deitar com essa pessoa, sentir que atrás do seu gozo há uma imensa carga de alívio e dor. Como seria acompanhá-la nesse pequeno trajeto da infância, vê-la lidar com o silêncio ao redor daquela casa, ao redor do que aconteceu em outras casas, outros endereços, no interior e nas capitais do país. É um mapa ainda incompleto, desconhecido. Outro dia li no jornal, Melina disse, uma competição esportiva foi realizada num estádio que pertencia a uma sede militar, onde houve prisões, torturas, mortes. Cinquenta anos depois atletas corriam na pista, torcedores ovacionavam na arquibancada, pódios e medalhas exibidos à espera do vencedor. Nenhum registro dos acontecimentos. Não foi necessário meio século para isso, poucos anos depois e era como se aquelas paredes não conhecessem outra rotina além dos esportes e das competições. A sua mãe pode ter ficado presa ali, ter sido torturada e assassinada naquele lugar, e um dia você acorda e sai de casa para assistir a um jogo, a uma corrida, e se senta na arquibancada, e você torce e vibra, sem a menor ideia do que aconteceu. É aterrorizante. Como o meu trajeto de criança, esse sentimento de que há por trás da nossa vida algo que nos escapa, algo perigoso, à espreita, que nos coloca entre a inocência e o horror. Não que sejamos inocentes, é pior do que isso, quando entramos naquele estádio para assistirmos a um jogo nos transformamos em cegos profundos. Olhamos a escuridão sem saber. Tampouco sabemos que ela também nos olha.

O corpo de Melina, me pergunto se há nele o que não vejo, se há nele o que não sei.

Um dia, ainda menina, ganhei de presente de aniversário uma máquina fotográfica, Melina continuou. Lembro da surpresa ao desfazer o embrulho. Não é brinquedo, é de verdade, ouvi a frase. Se fosse de criança, seria uma máquina de mentira, uma máquina faz de conta. Iria apenas brincar de fotógrafa, uma grande farsa. Mas algo incrível havia acontecido. Naquela manhã mesmo constatara ao acordar dois inconfundíveis montinhos sob a camisola. Em seguida, como num passe de mágica, ganhava um presente de adulto. É portátil, ela continuou, para você levar aonde quiser. Para onde eu quisesse, era uma promessa de liberdade que eu não esperava ter tão cedo.

Nos primeiros dias, vivi em euforia. A casa toda se tornou paisagem. Gostava de tirar fotos dos objetos mais rotineiros, como a minha caneca florida, às vezes cheia de leite, outras vezes com o restinho do líquido nas bordas e no fundo. Não reparava que nunca tirava da caneca limpa. Foi ela que reparou, você não tira foto das coisas antes de usadas e nem depois de lavadas. Por quê? Acho mais bonito, respondi. Ela nunca ficava satisfeita com as minhas respostas. A sua filha é esquisita, dizia ao meu pai. Ela tinha o hábito de falar de mim dessa forma quando algo que eu fazia lhe desagradava. Ela atacava e se defendia: os seus genes e as suas células não participavam das minhas imperfeições. Talvez por isso me habituei desde pequena a falar dela na terceira pessoa, mesmo algumas vezes quando estávamos diante uma da outra. Ela, a minha mãe.

Mas o suplício começou realmente quando os primeiros filmes foram revelados. Ela fumou dois cigarros inteiros olhando as fotos, enquanto eu aguardava o seu veredicto sentada na cadeira da cozinha. Ela bebeu duas xícaras de café sem açúcar com olhar de análise e crítica profunda. Eu só queria saber se ela tinha gostado, se eu estava fazendo bom uso do seu presente, o meu melhor presente de aniversário. Ela separou as fotos em dois bolos e me estendeu um, com ar de interrogação. Eram fotografias que eu tirara dos meus pais. O meu pai saindo do quarto, a minha mãe penteando os cabelos, os dois na mesa do café da manhã ou do almoço. Ela estava surpresa, não sabia que eu os fotografava, imaginava que eu mirava algum objeto ou planta qualquer quando passava com a minha câmera. Estava aborrecida, em todas as fotografias ela aparecia com semblante distante e triste. E ela não era triste, ria, era feliz, mas que impertinência, que menina cruel eu tinha sido, ela não era triste.

Eu a havia pego em flagrante. Acho que nunca fui perdoada por isso. Frequentemente me deparava com o seu olhar rancoroso. Se antes algo nela já me assustava, as mudanças repentinas de humor, o tom de voz que exasperava facilmente, depois disso comecei a viver numa espécie de terror constante. Talvez esta seja uma palavra muito pesada, mas nada relacionado aos pais é leve para uma criança. Não que ela me assustasse. Sabia ser carinhosa e gentil. Mas mesmo nesses momentos meu coração palpitava. Era como se uma fúria pudesse subitamente emergir em meio ao carinho. Eu nunca sabia o que iria tirá-la do sério. Ela se irritava com situações banais, ao mesmo tempo que ponderava calmamente sobre assuntos mais graves. A necessidade de perfeição em seu mundo estava nas pequenas coisas. Era um suplício quando resolvia me ensinar a cozinhar. Cada erro meu era repreendido com rancor e impaciência. Por mais que, no final, a comida ficasse saborosa, muitas vezes eu não conseguia comer. Ânsias me apunhalavam o estômago, me retorciam de enjoo e dor. Eu era então a filha ingrata que havia desperdiçado o tempo e o esforço de uma mãe tão boa. Incapaz de retribuir minimamente. Eu era mesmo horrível.

Os meus pais tiravam poucas fotos, eu tinha quase nada para olhar. O meu sonho de menina era ter um álbum de fotografias, desses que você se senta no sofá e mostra para as pessoas. Mais tarde entendi que o presente da minha mãe pode ter vindo também do desejo de se livrar desse fardo, essa filha que queria fotografias num álbum. Os meus pais só tiravam fotos posadas em cerimônias e festas e celebrações. Eu gostava de tirar da caneca suja de leite depois do café da manhã, do bigode branco sobre meus lábios, do olhar distante que ela tinha quando se sentava à nossa mesa, como se esperasse sempre se sentar em outro lugar, e então diariamente era desapontada e surpreendida. Numa das fotos, meu pai estava em meio ao movimento de se levantar da cadeira, depois de ter tomado rapidamente um gole de café, dado uma mordida apressada na torrada com manteiga. Ao lado, ela não esboçou nenhuma reação. O meu pai se levantava, se afastava, e a minha mãe permanecia com o olhar ausente, a xícara nas mãos. Não reagira à presença nem à ausência. Depois, ela viu a foto, com profundo desgosto. Para que fotografar as pessoas em meio à uma ação inacabada, um olhar esvaído num segundo de reflexão, um gesto insignificante? Isso não diz nada. Ela estava com raiva. As minhas fotos eram horríveis, eu que não ousasse fazer um álbum com aquilo. Como a sua filha é esquisita, dizia ao meu pai. Eu o olhava então, o rosto indecifrável. O meu pai pensa muito, eu achava, está sempre pensando. Parecia que um pensamento cortava a sua testa. Era uma ruga, mas eu achava que era um pensamento. Algo constante e profundo. Eu achava aquilo muito grave e bonito. Tinha vontade de fotografar a sua testa, as linhas marcadas na pele, bem de perto, como se fosse um mundo feito só daquilo, os pensamentos do meu pai. Mas nunca pedi, não tinha coragem. Ele me olhava às vezes e sorria levemente. Um riso sério, disfarçado de outra coisa, de uma crítica, talvez. Depois afagava minha cabeça, como quem diz, essa não tem jeito mesmo, se levantava do sofá ou da cadeira e se afastava pela casa ou saía para a rua. Ele tinha esse movimento. Era a foto que se repetia. Onde estivesse, fazendo o que fosse. O meu pai nunca ficava muito tempo num lugar. Era o homem que sempre se levantava.

Um dia, eu estava na varanda, com a minha máquina, quando o vi voltando para casa. Nossa casa tinha dois andares, e eu estava no alto. Tirei as fotos sem pensar, quase por hábito de fotografar o que me impressionava. Só depois, vi: fotos do meu pai subindo a rua. Sentado na calçada antes de entrar pelo portão. O rosto mergulhado nas mãos. A minha reação foram arrepios, mas não sabia que era tão grave. Só quando a minha mãe viu as fotos que eu soube. As fotos dele em movimento não eram novidade, mas aquela, meu pai sentado no meio-fio, as costas curvadas, as mãos espremendo o rosto, a deixou perplexa. Só quando vi o seu espanto reconheci o meu. De repente, éramos cúmplices. Estávamos muito impressionadas. O meu pai fora pego em flagrante. O seu olhar me dizia isso, ela não tinha sido a minha única vítima. Essa sua máquina é terrível, balbuciou, acendendo um cigarro, espalhando a fumaça pelo ar, papai tem muitas preocupações, não vamos aborrecê-lo com bobagens, e guardou as fotos numa pasta, a pasta numa gaveta, a gaveta num armário, o armário à chave.

Eu não sabia o que pensar. De todas as coisas que podia imaginar sobre o meu pai, nada incluía aquela imagem. Antes, não esperava dele mais do que um sorriso irônico, um carinho esporádico, uma palavra comedida. Imaginei, ou talvez ele tenha realmente me dito, que não sabia a língua das crianças, que esperava pacientemente eu crescer. Enquanto isso, eu teria que me conformar com a distância, uma fatalidade, éramos surdos um para o outro. Devo ter imaginado, certamente imaginei, porque esse diálogo entre nós já seria uma quebra nessa surdez. Teríamos nos escutado, ao menos um pouco? Depois daquela foto, porém, eu não me conformava, sabia que ele podia mais. Tinha descoberto, tudo se escondia dentro daquela ruga que cruzava a sua testa, havia ali um acúmulo. Algo que ele preferia omitir ou era incapaz de revelar. De repente, toda a beleza havia se perdido. Não havia nada profundo nem grave. Era apenas medo. Tão comum como eu e minha mãe. O seu erro foi não ter feito aquele gesto — sentar como se desabasse e espremer o rosto como se quisesse arrancá-lo fora — em nossa casa, em nossa mesa ou sofá. Ao menos um vestígio do seu sofrimento, era o que eu pedia. Mas nada apareceu. Lá estava a mesma expressão indecifrável, que não possuía mais, para mim, nenhum mistério.

A decepção foi tão grande que guardei a câmera por muito tempo. Passei a olhar a minha caneca de leite usada com uma desolação profunda. O cinzeiro sujo dos meus pais, a metade da torrada comida, o café frio na xícara, os ponteiros barulhentos do relógio, todas as coisas pareciam se esconder dentro delas mesmas, eu vivia desconfiada. A sensação de que nós três, essa formação triangular, de alguma forma, não era verdadeira. Não que não me amassem, mas o amor pode ser também uma obrigação. Não que se obrigassem, mas o sentimento pode nos manter num lugar quando queremos ir embora. Não que quisessem, mas talvez imaginassem. Fumavam muito. Às vezes sentavam lado a lado, virados para a frente, ele acendia o cigarro dela, depois o seu, e ali passavam horas, engolindo e soprando fumaça, nublando tudo. Não brigavam, preferiam o silêncio. Dormiam na mesma cama, talvez até abraçados. Se tocavam às vezes, quando achavam que eu não estava por perto. Fazíamos muitos passeios, e eu era o motivo dos risos e o assunto das conversas. Era quando eu sentia o amor. Inteiro, sem hesitações. Ali, éramos três. Minha mãe nos olhava, meu pai ficava. Eles eram meus e isso era o certo. Eu era criança e não sabia que exigia tanto.

agora você me olha com essa cara de sonho e espanto, como se não acreditasse na noite, na náusea, no pequeno volume da minha barriga. você tem certeza, você foi ao médico, escuto a pergunta horrorizada, chego a rir de horror, não saímos para nada, o tempo todo olhamos a cara um do outro, quando cansamos viramos para a parede, quando não aguentamos mais a parede fechamos os olhos, quando não suportamos mais a escuridão dormimos, e você me pergunta se fui ao médico, se eu responder que sim estarei afirmando que saí à rua, atravessei avenidas, entrei num prédio, numa sala, falei com pessoas, tudo tão absurdo, mesmo assim você me pergunta, como se não fosse notar a minha ausência, ou como se eu pudesse viver num universo paralelo, ficar e ao mesmo tempo ir. não, não, você está louco, desde que chegamos não saímos, essa pergunta não faz sentido, faça outra, ah, perguntou se tenho certeza, tenho a certeza de que o meu corpo me dá, esse enjoo, essa barriga, quase digo essa raiva, mas engulo a tempo, não quero que você me entenda mal, não é isso, mas como explicar esse esgarçar, essa abertura involuntária, é como se meu corpo se desocupasse de mim, a cada momento é uma parte que se vai, tomada por outras funções, tarefas vitais, multiplicações, crescimentos, me resta ficar aqui, presenciar esse desalojar constante, a montagem de uma estrutura flexível e inabalável. às vezes uma dor aguda corta meu ventre, penso que é mais um pilar que se ergue, outras vezes é como se me esmagassem as entranhas, deduzo que seja alguma produção de nutrientes, esse esmagar, mas a raiva, como explicar que é outra coisa, ainda sem nome, uma palavra que não existe, não inventaram ainda, há um vazio em seu lugar, e na sua falta escolheram raiva, e se falo que não é raiva dizem amor, mas não é, ainda não, é um sentimento que está entre os dois, que só se revela nesse momento de entrega, em que a entrega é uma exigência absoluta, que não se importa com as consequências. sei que vai chegar o momento em que eu também não vou me importar, que vou me tornar inteira essa entrega, estarei dentro desse absoluto, rendida ao domínio do corpo, mas ainda não posso, ainda estou fora olhando tudo com assombro e perplexidade, estou em partes reclamando a devolução de cada pedaço, sentindo a falta e não o preenchimento, sussurrando ao avançar de cada centímetro, não, não, não estou pronta, não posso, não estou.

você preferia a palavra de um médico, mas teve que se contentar com a minha, carente de exames e comprovações científicas, mas apesar disso você está radiante, não para de rir e de contar casos e de rir, tomamos café, almoçamos, jantamos, e você ri e conta casos e ri, não sei de onde você tira tantas histórias, não tinha ideia de que havia tanta coisa na sua cabeça. você está feliz e eu sei o motivo, agora você tem uma justificativa para me tirar daqui, agora você pode fazer as malas e dizer que é para o bem da família, não é mais a hora de lutar contra nada, é hora de descansar e deixar a natureza agir. essa gravidez veio no momento certo, você me diz na cama antes de dormir, você não reparou mas tem estado completamente louca, só pensa em luta em revolução, no país, no futuro, eu escuto com a mão na barriga, instintivamente coloco a mão sobre o pequeno ovo, só penso no que escolhi pensar, se isso é loucura avisa a todos os companheiros que enlouquecemos, você parece que não enxerga não vê, o seu filho vai nascer neste mundo e não em outro, neste aqui, feito da minha revolta e do seu conformismo, nesta merda, não fala assim, vou falar como, eu te amo, eu também, a gente vai ser pai e mãe, a gente vai sair daqui. você me beija, seus lábios me amortecem, a carícia, a umidade, a maciez, a minha pele, os meus sentidos te aceitam mais do que eu, reconheço, me envergonho, o seu corpo me enlaça, eu quero o calor, o conforto, alguns instantes imersa em sensações, não em pensamentos. você em cima de mim pergunta se incomoda, o peso, você dentro de mim pergunta se machuca, se tem perigo de ferir o bebê, não, não há perigo, o bebê ainda é uma coisa mínima, mas, mesmo se não fosse, há um limite entre vocês, uma barreira, você nunca o alcançará. já eu e ele, não, estamos no mesmo lugar, onde ele está eu estou, onde estou ele está, entende isso, essa célula que se divide? mas eu também estou aí, você reivindica, dentro de você, dentro da célula. é verdade, reconheço, está sim, mas também não está, entra e sai, um visitante. não, você se revolta, na célula do meu filho entrei e fiquei, estou lá, estamos nós dois. Você não aceita, mas essa célula onde nós estamos está aqui dentro, é aqui onde ela mora e cresce, se reproduz e se alimenta, foi isso que quis dizer, que estamos entranhados, eu e ele, no mesmo espaço e tempo, os limites foram derrubados para ele poder existir, por isso digo, por mais fundo que você venha, por mais dentro que chegue, há sempre um limite, um ponto onde você não pode continuar, por isso disse, há um limite entre vocês, uma barreira, você nunca o alcançará.

o seu rosto tão próximo se contrai se ilumina, não adianta, posso ter me separado de mim, não me alcançar mais, há essa parte que se foi, é verdade, estou mais fora do que dentro, mas algo ficou, não tem jeito, também estou entranhado, carne a carne, também pertenço a essa mistura, você me diz, você me beija, o seu pau, o seu pau vai até onde pode, sinto internamente todo o caminho, a presença, o desejo de ir além, a impossibilidade, o inconformismo, a aceitação, e nesse momento algo acontece, como se desistíssemos dos centímetros, dos territórios, das divisórias, nesse momento somos três, nesse breve momento, nessa breve entrega, o triângulo se forma, há uma completude, nos fundimos nessa sensação maior, nos misturamos um no outro, três existências capturadas por esse processo. recuaremos depois, será necessário, cada um voltará para o seu lugar, cada um com a sua fome, a necessidade própria de se expandir e multiplicar, de se recolher e contrair, vamos nos separar, não sabemos o momento, mas será inevitável, como é agora desaparecermos. Aceitamos isso, e nos fundimos, nos entregamos tanto.

Alguns livros comprados no sebo são colocados ao lado de outros volumes, antigos moradores da estante. Um deles mal se pode pegar, com risco de esfarelar entre os dedos, ou desmontar como as peças de um motor. A história de uma menina que cai num buraco sem fim colocada na mesma prateleira com biografias, livros de não ficção. É como se zombassem um do outro, como se dissessem que nada daquilo é possível, que nada daquilo basta. Mesmo uma estante cheia de livros não bastaria. Estarão sempre duvidando um do outro, reafirmando as próprias crenças e questionando a verossimilhança alheia. Será sempre preciso mais livros e nunca será o suficiente. Será sempre preciso dizer mais alguma coisa e nunca será o bastante. Será sempre colocado à prova o que foi dito, e será sempre preciso dizer de novo.

Alice precisa de reparos, ele lembra que comentou com Melina que viu no sebo um livro sobre restauração. Talvez faça isso, restaure *Alice*. O livro está sensível ao toque, não suporta mais o desfolhamento. Há muito tempo que não o pega, com receio de deixá-lo num estado irrecuperável. Cedo ou tarde, terá que reler a história dessa menina que diminui e aumenta de tamanho. Terá que entrar novamente nesse universo, nas margens das páginas, nas entrelinhas, em todas as coisas que pertencem a esta edição. Não poderá ser nenhuma outra, nova ou antiga, em perfeito estado ou em decomposição, só poderá ser este exemplar, este livro.

Houve uma época em que ficava horas na seção de história. As estantes eram vasculhadas, volume por volume. Depois ia para a de jornalismo, biografias e memórias. Alguns desses livros foram levados para a sua casa, colocados ao lado do seu *Alice*. De vez em quando, se aproxima da estante, não para pegar um livro, mas para olhar aquele conjunto. A grande história, os relatos, as pequenas histórias, os testemunhos, todos em busca de uma afirmativa qualquer, algum sentido, a própria verdade, talvez. Ao lado, mais afastada um pouco, a ficção, talvez a narrativa mais verossímil de sua estante, construída justamente para isso, acreditarmos nela. Desde menino, porém, desconfia de todos os livros. A verossimilhança é uma armadilha, tão fácil nos emaranharmos. Nada parece mais real do que a leitura de uma página, mas nada se desfaz tanto ao se voltar ao mundo. Nada se revela tão elaborado e artificial quanto essa organização de palavras. Num segundo, os acontecimentos destroem essa ordem, a sua força se desfaz ao primeiro fato. O seu *Alice*, as anotações encontradas nas margens. O que pode ser mais desconcertante do que as anotações de alguém feitas durante uma leitura. O que pode ser mais estranho do que essas palavras escritas tão desconectadas agora de quem as escreveu. Recortes de um contexto nunca revelado, como nas fotografias. O antes e o depois daquele instante arrancados de nós, para sempre perdidos. A intimidade exposta e recortada, o que pode ser mais devastador do que isso. Há muito tempo não abre *Alice*. Há muito tempo não é capaz.

Antes da celulose da madeira, se usava, para fazer papel, fibras de algodão extraídas de trapos e roupas velhas. Era assim que se escrevia, sobre as fibras dos farrapos, vi isso no livro sobre restauração, conto à Melina. Os panos, imersos em água e cal, se desintegravam. Com as fibras se fazia uma pasta, que era prensada e colocada para secar ao sol. Sobre essa superfície se escrevia, esse material feito de pano, suor, poeira, vestígios de gente andando nas ruas, de gente tirando e colocando as roupas, lavando e secando-as no varal, usando até desbotar as cores, até gastar o tecido, até romper os fios. Sempre há algo já existente no processo da escrita, você não acha. Escrever nunca começa do nada, de um ponto vazio, inabitado, limpo, nunca se começou, o próprio papel é outra coisa transformada. Escrevemos e tocamos nessas fibras esgarçadas, amassadas e prensadas; escrevemos e vestimos as roupas usadas, limpamos a sujeira, nos afogamos na água e secamos ao sol. Escrevemos e remexemos nos panos usados para cobrir a nudez, tirados após um dia de trabalho, arrancados para o desejo do corpo, sujos por todas as coisas que sujam, limpos por todas as coisas que limpam. Virados ao verso e ao avesso. Nos contaminamos, submergimos do melhor e do pior. Nunca estamos inocentes.

Melina me olha com medo. Até certo pavor. Estou escolhendo mal as palavras. Melina me olha. Talvez seja medo o que vejo nos seus olhos. Mas há algo mais, que não consigo capturar. Algo que as palavras não conseguem. Você escreve desde menino, ela diz. Uma criança, um pedaço de nada ainda, já envolvido com as palavras. Isso é assustador. Você não percebe, você já olhava o mundo, fazia narrativas sobre ele, uma criança. Para escrever é preciso dar um passo para trás, se distanciar das coisas. Como você conseguia, tão novo, essa distância. Há algo de perverso nisso, ou de extremamente inocente. Um menino com uma arma, um menino manipulando substâncias perigosas. Você sabia do risco? Você andava ingenuamente entre os papéis e as frases que escrevia? Que frases eram essas?

Não sei, não lembro. Coisas de criança, o que pode ter de perverso nisso? E Melina me vê menino, com meu caderno da infância, escrevendo na cama onde ela tantas vezes se deitou, tantas vezes gozou e dormiu. Nós dois, de porta trancada, nus e imersos. O que pode ter de perverso? Era só um menino escrevendo, nada de armas, de substâncias perigosas, apenas um garoto colocando no papel as poucas palavras que conhecia, o pouco do mundo que podia recontar e descrever, o que pode ter de perverso? Ela me olha. Há algo em seus olhos. Algo que não consigo. O passo para trás, estou dando sempre esse passo, é o que vejo no seu olhar, é como ela me vê. O que adianta ir à biblioteca, procurar livros, depoimentos, pesquisar, ler, se você teve à sua frente as caixas lacradas do seu avô e não abriu? Ele estava morto, você estava vivo com as caixas. E não abriu. Colocou dentro de um carro, jogou fora. Tantas leituras, ponderações, e como você se sente diante desse livro velho, incompleto, você se sente incapaz, um menino, você se distancia, não há nada para captar nos espaços vazios a não ser o vazio, não há nada para traduzir as palavras nas margens a não ser as palavras nas margens.

Eu não posso me aproximar, Melina, não posso, da última vez que toquei o livro, ele quase esfarelou nas minhas mãos.

Melina não responde, não me olha mais. Não sei o que dizer. Há uma lacuna, uma palavra que falta. Mas antes de faltar a palavra, falta outra coisa. Talvez a consciência do que faz necessário dizê-la e escrevê-la. Mas ambos são impossíveis. Só escrevemos quando nada mais pode ser feito, só tomamos consciência tarde demais. Estamos sempre atrasados. Escrevo e apago, apago de novo, mas a página não fica em branco, nunca.

Não quero filhos, eu e Melina nunca dissemos um ao outro, mas todos os nossos sentidos captaram a informação desde o primeiro instante, está dito em nossos corpos, em nossos atos, o cuidado excessivo com contraceptivos, o desejo muitas vezes freado para evitar qualquer risco. A noção de risco desde o início relacionada à concepção, uma vida, um ser, algo a ser evitado, algo muito perigoso. Melina às vezes enlaça os próprios quadris como se os medisse, como se dissesse, não há espaço. Eu muitas vezes olho nossos ventres em meio ao movimento, os sexos juntos, entranhados, é como se nossos próprios corpos confirmassem, não há espaço, não há sentido. Somos dois, seremos dois. Os amigos riem, para eles não crescemos, nos recusamos a amadurecer, cada um em seu pequeno apartamento, em sua própria cama, ocupados com nós mesmos, não há espaço, dizemos silenciosamente, não cabe mais ninguém. Somos jovens, somos velhos, estamos nessa idade em que todas as outras se cruzam, se espelham, se anunciam, se despedem. Nos agarramos aos últimos fios da juventude, esperamos a passagem do tempo até o dia em que enfim poderemos dizer, agora é tarde.

Não quero filhos, a frase não foi verbalizada, mas o verbo está presente, o verbo é a luz de nossas escolhas. É também um reflexo do passado, não é preciso ir à terapia para traçar interpretações da nossa decisão e do nosso silêncio. Se em algum momento fizemos esse pacto sem palavras, se em algum momento decidimos que não podíamos arcar com outro ser, por lucidez, visto que, no final das contas, ninguém pode, ou por egoísmo, porque ter uma criança nos braços é abandonar todas as outras coisas para segurá-la, não sabemos. Tampouco sabemos quando essa escolha se fez de fato, talvez antes de nós, quando ainda não tínhamos nos encontrado. Eu poderia ter decidido o contrário, é verdade, já que não conheci a família que me gerou, formar a minha, um casal, dois filhos, ou três, a mesa grande, a rotina barulhenta, a desordem das crianças, o desamparo dos pais, o afeto empurrando tudo, eu poderia ter feito isso, ocupado com excesso as minhas ausências, ter dado ao meu avô bisnetos, enchido a casa de risos e brinquedos, uma lembrança de que existe um universo de alegria espontânea que ele há muito tinha esquecido. Mas não, algo em mim se recusa a dar prosseguimento à solidão que sempre senti, é como se eu não pudesse tolerar isso, outra criança como eu. Amigos podem me dizer que são outros tempos, seria a oportunidade da cura, de fazer diferente, que a esperança nasceria junto com o filho, a esperança estaria em seu rosto. Mas como dizer sem parecer insensível que eu o olharia sem sentir nada, que para tantos e para mim os tempos não são outros, mas o mesmo, o mesmo tempo, as mesmas forças que aniquilaram a minha mãe, que anestesiaram o meu pai, estão aqui, mesma dinâmica a mover o mundo, os mesmos motivos de revolta, de lutas, estão aqui, eu nasci disso, eu emergi disso. Eu teria que ser mais forte, teria que ter uma crença que não possuo para segurar nos braços uma criança e dizer, eu posso fazer diferente, seremos a cura um para o outro, a esperança nascerá junto com nós dois, a esperança, essa espécie de milagre, nascerá só porque eu me tornei o seu pai e você o meu filho.

me olho no espelho, estou arrumada e bonita, o lenço azul ao redor do pescoço me dá uma elegância que não sinto, um ar elevado que preciso para ultrapassar as próximas horas. abro a porta do banheiro sabendo o que vou encontrar, você, do outro lado, não quer me deixar dar um passo, me proíbe de sair, fala exaltado. desde que acordamos que estamos nesse embate, eu me mantenho firme, tenho que ir, contam comigo, não se preocupe, não é arriscado, não é nada demais, mas você não concorda, começamos a discutir baixinho, ainda na cama, tão conscientes da outra presença, a ponta do triângulo, sussurramos como se já pudesse nos escutar. eu me justificava para ela também, essa pequena criatura ainda em formação, não há risco, eu não iria se houvesse, vai dar tudo certo, vai ficar tudo bem. você não aceita, durante o café tenta me convencer de todas as formas, mas permaneço irredutível, explico pela milésima vez que já estava marcado, não há como desmarcar, avisar as pessoas, estão todos comprometidos, cada um precisa fazer a sua parte, mesmo que pequena, se não desmorona tudo, a estrutura já está fragilizada, pessoas podem ser presas, mortas, preciso dizer isso, que estamos no fio da navalha, procurados por todos os lados, eu tenho sido a mais reclusa, a menos exposta, não me procuram mais. como você sabe, não tem como saber, se pessoas podem ser presas, mortas, como não é arriscado, claro que é, você se enfurece, não minta para mim, acha que sou alienado, que não sei o que está acontecendo, me enfureço também, não, não sabe, é alienado sim, se meteu nessa por acaso, por sua causa, você me acusa, sim, me culpa, se não fosse por mim estaria até hoje no escritório do seu pai, carimbando documentos, indo e vindo do cartório, se preparando para herdar os casos, decorar as leis e as ementas, estaria feliz pensando no futuro, indiferente a todo o resto. agora você está preso neste apartamento, porque começou a ser visto, seguido, ao meu lado, levantaram o seu nome e a sua ficha, chegaram ao seu pai, ameaçaram a sua família, ele garantiu que o filho é um exemplo, um santo, exigiu que rompesse comigo, por que você não obedeceu ao papai, como sempre? está agora arrependido da sua única rebeldia? se não fosse por mim, continuaria cego, mas você se arrepende todos os dias de ter me escolhido, prefere a cegueira, eu que te forço a ver, a enxergar o que não admite contemplação, o que exige movimento, ruptura, por isso eu vou, no final de toda essa merda não quero ser a pessoa que contempla, quero ser a pessoa que combate o que vem nos destruir, que quebra, arrebenta. você ri, me acha patética, arrogante, ridícula, você pega uma cadeira, levanta bem alto, grita, você quer ser a pessoa que quebra, quer, e espatifa a cadeira no chão, só temos três, você quebra duas, não quebrou a terceira porque deve ter pensado no bebê, ela está grávida, precisa ter onde sentar, você deve ter pensado, e só por isso poupou a cadeira, mesmo espumando de raiva, querendo arrebentar todos os móveis para me mostrar que ao menos naquele instante você é a pessoa que quebra e eu a que contemplo. realmente, olho, choro, não estou assustada, estou triste, não adianta, eu vou, não posso abandonar meus companheiros, está tudo planejado. você agora não fala mais, berra, a sua voz na mesma altura em que ergueu a cadeira, a sua voz no alto, antes de cair, se espatifar, você pode morrer, meu filho pode morrer, eu não vou deixar, você me deve isso. grito também, eu nunca te pedi nada, você podia ter me largado, continuado a sua vida, quis vir, quis ficar, nunca prometi nada, não posso mudar porque veio, porque me engravidou, quando a barriga aumentar, quando o corpo exigir, aí mudarei, mas não agora, não com tanta gente em risco, o perigo está em não aparecer, em deixar o buraco, aí sim podem nos descobrir, se eu seguir o plano vai dar tudo certo, vou e volto, não demoro, me espera.

saio da cozinha e sinto a sua força atrás de mim, tento escapar, não consigo, penso que vai me bater, me matar, prefere fazer isso do que deixar que outros façam, você enlouqueceu, digo, me solta, grito. você me levanta no ar, como se eu fosse um saco, eu não sabia que era assim, tão fácil, me deter. você me leva até o quarto e me larga na cama, um peso que precisa descarregar. sai e tranca a porta antes que eu me erga completamente, o meu corpo já começa a sentir as mudanças, o equilíbrio o impulso não são os mesmos. bato na porta, soco, chuto, você não pode me prender, não tem o direito, abre a porta, abre, estou falando, você é que nem eles, você é que nem eles. você do outro lado diz que só saio para ir para a casa dos seus pais, é para onde vai me levar, para onde vou, é o que vou fazer, nada mais, acabou a brincadeira, escuto a sua voz, acabou. me desespero, estou presa, você me prendeu, transformou nosso quarto numa prisão, a nossa cama num lugar onde despejou o meu corpo, olho pela janela, calculo a distância, são dois andares, não é muito, preciso ir, contam comigo, preciso ir, meço a altura, é muito, tenho ossos fortes, vou pular, é o único jeito, vou pular, não pulo. o bebê, tudo aqui dentro ainda está frágil, sem uma estrutura firme que o sustente, poucos pilares foram erguidos, no impacto, a fina película pode se romper, não pulo.

acordo no escuro e, na cama onde me recolhi, sinto o rosto inchado, os olhos ardidos, o silêncio do apartamento me assusta me conforta, uma paz momentânea aparente me serve de refúgio. vejo no chão uma bandeja com sanduíche e suco, você entrou enquanto eu dormia, me deixou alimento e me trancou de novo, você confirma nesta manhã que me fez prisioneira, eu não posso me levantar e ir à cozinha, meu espaço permitido é este quarto. escuto de repente o barulho de porta se abrindo, vozes que logo ficam abafadas, reconheço o sussurro do meu amigo, sabia que ele viria, eu falhei, é imperdoável, não me movo, não consigo, estou esgotada do pulo que não dei, estou exausta pelo que não fiz. você e o meu amigo entram no quarto, em meio ao sussurro você já explicou a minha ausência, pela expressão do meu amigo vejo isso e também que algo grave aconteceu. na curvatura das suas costas se instalou um grande peso, na última vez que nos vimos não havia nada ali, era como todas as outras. ele se senta na beirada da cama, segura a minha mão, seus olhos marejados ao dizer, um filho, há uma emoção boa em seu olhar, mas há outra por trás, trágica, que também desponta nessas lágrimas, ele não consegue conter, o que aconteceu, pergunto, e também me explico, não pude ir, me refiro a você que me impediu, meu amigo assente, já sabe, se fossem outros tempos, vocês teriam brigado, ele não teria reagido inerte ao que você fez. vejo a briga passar pelos meus olhos, mas há um cansaço enorme, uma extrema desolação nos impede de reagir, toda a minha força acabou quando não pulei a janela. o que nos resta agora, pergunto, a ação foi um fracasso, meu amigo me conta. três companheiros me esperaram até a noite, sem saber para onde ir, a minha tarefa era simplesmente levar um endereço, você não deixou, me esperaram além da conta, deviam ter ido logo embora, meu amigo disse, ficaram, levantaram suspeitas, foram abordados, um reagiu, morreu ali mesmo na rua, no jornal diz que foi assalto, os outros dois sumiram, ainda não temos notícia. você encostado no batente da porta, escuta tudo, mortificado, o seu olhar que me diz, não me arrependo, poderia ter sido você, não me arrependo. era uma operação simples, meu amigo fala, não havia perigo, só houve pelo furo, nenhum de vocês estava sendo seguido nas últimas semanas, estavam escondidos. você encostado no batente da porta, tem ainda um apoio firme, uma rigidez, eu e meu amigo afundamos no colchão mole, eu e meu amigo choramos. escutou, me dirijo a você, não nos falamos desde o dia anterior, depois que você me trancou neste quarto não pretendo mais te dirigir a palavra, digo agora apenas para jogar na sua cara a sua surdez a sua arrogância, ele acabou de dizer o que falei ontem, escutou agora? não havia perigo, era só entregar um papel, um maldito papel, a porra de um papel, o sangue sobe, devo ter ficado muito vermelha, você me pede calma, não posso me aborrecer, pelo bebê, calma, o médico disse isso à sua irmã no início da gestação, para ter calma. quase me levanto da cama, quase te mato, ontem o senhor estava calmo quando me arremessou como um saco neste colchão, por acaso estava querendo me acalmar quando fez isso, é assim que me protege e ao seu filho. digo ao meu amigo, a violência é o que mais me espanta, essa facilidade em destruir, me refiro a você, me refiro a tudo, como as coisas chegaram a esse ponto, não sei, não sabemos. de repente você escorrega pela porta até cair no chão, meu amigo inclina a cabeça o tronco até tombar na cama. ele se enrola em si mesmo e depois se aninha em mim como um bicho, você se volta para a cama e começa a se arrastar na nossa direção. meu amigo soluça um pranto que te assusta, que você nunca tinha visto, grosso, fundo, que te paralisa. somos de repente os animais que nascemos, nossos amigos estão morrendo, é o que o grunhido diz, eu não suporto, tanta gente destruída, e agora, nesse instante mesmo, tem pessoas na tortura porque eu não apareci, não estava lá. eu olho você, sei que se sente responsável, se pergunta se não exagerou, agora é tarde, digo, como se você tivesse falado, como se não fosse só pensamento, não podemos fazer nada, eu e meu amigo enroscados, você imóvel no chão, emitimos também esse som gutural de bicho imobilizado, abatido por uma fera gigantesca.

Os três homens ocuparam toda a sala, os corpos se expandiram pelo espaço, altos e largos. Eram só três, mas ela pensou que eram mais, três homens enormes de repente em sua sala. Eles não haviam visto ainda, ordenaram que ela saísse, ela respondeu não posso, e até aquele momento eles não tinham visto o bebê envolto em mantas e fraldas de pano deitado no sofá. O pequeno corpo quase desaparecendo em meio aos tecidos e almofadas, um corpo que quase não se vê. Como se entendesse tudo, o bebê chora. Choraria de qualquer forma, a mãe sabe, mas naquele instante era como se ele dissesse, estou aqui. Ela o pega no colo, a voz baixa, uma cantiga, balança os braços como uma rede para lá e para cá. Os homens altos e largos se entreolham, não esperavam aquilo, um bebê, uma música. Esperavam outra cena, uma resistência, a moça levada à força até o carro. E agora. Um deles, o mais largo, o mais experiente, diz aos outros que o plano continua o mesmo. Ela então o reconhece dos jornais, é o líder, é o responsável. Ela o olha sem medo, quer que ele veja nos seus olhos que há um limite, há um bebê em seus braços, há vinte dias estava em sua barriga, ela não vai.

O homem insiste, você vem com a gente, o bebê vai para o juizado. Ela escutou, mas nem tremeu. Não deixou que ele visse, o medo nascendo, não, era mais, o pavor se espalhando. Meu filho tem mãe, ela disse, e os homens riram, o mais largo, o mais experiente, riu com mais vontade, pensasse nisso antes, antes de fazer merda. A risada do homem explodia nas paredes, e ela pensou que se visse aquela cena em algum lugar, um filme, uma peça, acharia um exagero. Ele não precisa rir assim, diria ao sair do cinema ou do teatro, como um vilão caricato, a maldade já está implícita, a maldade já está dita, a maldade exala no corpo, no olhar, na voz, nos cabelos, ele não precisa rir assim.

O senhor pode falar o que quiser, eu não vou. E nessa hora apertou o corpinho em seu peito, fechou os olhos sem saber o que lhe esperava. Aqueles homens eram violentos, ela já tinha escutado tanta coisa. Eu posso usar de violência, o homem disse, a senhora tem ciência, ela tinha, ela tinha. Vocês podem me matar, não se importam se um bebê vai ver a cena, a mãe sendo morta por três homens. Não se importam com o bebê, ela tinha, ela tinha ciência, mas eu não posso, eu não vou dar o meu filho para vocês. Não sou eu que vou estender os braços, abrir as mãos, esse gesto não virá de mim, esse gesto não é meu.

Ela falava e ninava, não reparou que, no meio da fala, interrompia para fazer shiiii shiiiii, passou, passou, o acalanto saía da sua boca, como um sopro, tão natural. O homem respirou fundo, bastava uma ordem sua, ele se virou para os outros, não vamos matar, quero ouvir o que ela sabe. Se virou para ela, não vou partir para a violência, pense bem, pense bem, não vou te matar, vou te ouvir, você vai falar, querendo ou não, o seu filho é o de menos, você vai comigo de qualquer jeito, pense bem, pense bem, o homem mais largo a aconselhava. Ela disse, a minha sogra mora aqui perto, se deixar meu filho lá, com a família, eu vou.

É caminho, o homem mais largo concordou. A partir daquele instante, tudo o que ela fez foi esperando o golpe que desmentisse aquilo, o homem concordara. Arrumou a bolsa do bebê, colocou-o na cestinha, acompanhou os homens até o carro, sentou entre eles se concentrando no rosto do seu filho. O formato dos olhos, da boca, o queixinho, o que vai permanecer no tempo de uma fisionomia de vinte dias? Durante todo o trajeto ela não pensou em outra coisa. Precisava guardar na mente o rosto de seu filho, não importava quando iria vê-lo de novo, precisava reconhecê-lo.

Fechou os olhos, a imagem do pequeno rosto emergiu do escuro. Era isso, não podiam se separar sem que ela pudesse apontar em meio a uma multidão e dizer, é ele, o meu bebê. Mas o que permanece no tempo de uma fisionomia de vinte dias? Era como se a imagem pudesse escapar de repente, virar fumaça, desaparecer como se nunca tivesse existido. Ela não pensava no que iria enfrentar depois que o deixassem na casa da sogra, pensava que aqueles podiam ser os últimos momentos que via o seu filho, mal saído da barriga, o rosto ainda inchado, o olhar sem foco não registrava ainda a sua imagem, a mãe. Ela aproximou o rostinho do seu colo, eram o tato e o cheiro que os identificavam, era como se reconheciam, o nariz e a pele, ainda eram feitos de sensações.

Ela viu o carro parar em frente à casa dos sogros, o desmentido não aconteceu. O homem mais largo quer ouvir o que ela sabe, e ela sabe o que isso significa. O homem mais largo disse o seu filho é o de menos, a diferença entre deixar o menino com a família ou no juizado, ele iria cobrar a boa vontade. Ele próprio iria interrogá-la. Os dedos grossos, esticados, repousavam sobre as pernas, como podiam sair de repente daquele estado de inércia para o horror? Os dois capangas ficaram no carro, vigiando a cena. Ela saiu levando a cesta, o homem mais largo a acompanhou, com um caderno e caneta na mão. Para que isso, ela perguntou. Você não vai tocar a campainha agora, não vai falar com ninguém, vai escrever neste papel, tive que ir ao dentista, cuida do meu filho até a minha volta. Ela o olhou sem esperanças. Escreva e coloque na cesta com o bebê.

Que merda as palavras, ela pensou com a caneta na mão, não dizem nada realmente. Escreveu tive que ir ao dentista, e a sua sogra entenderia exatamente o que não estava escrito, fui presa, cuida do meu filho até eu voltar, se eu voltar, cuida e não deixa o seu rosto mudar muito, atente para que os traços do nariz e da boca não percam as linhas do nascimento nem que os olhos se transformem em outros. Ela voltou para o carro com a caneta na mão, o homem largo tocou a campainha e se afastou apressado. Saíram antes de atenderem a porta, ela ainda viu a cestinha na varanda ao virarem a esquina. A caneta, o homem mais largo cobrou o que lhe pertence, e a guardou no bolso da blusa. Um, dois, três tapinhas, ela contou. Nenhum tremor, as mãos grossas acariciando a caneta sobre o tecido. Um, dois, três, que merda, ela pensou, o homem largo conseguia a sua maior violência, não pensava mais no filho, o rosto do seu bebê.

O avô mal falava com o neto depois da invasão do seu quarto. Considerara uma traição a abertura forçada das caixas. As fotos, o álbum, todas as suas coisas guardadas por anos lançadas de repente ao chão. O avô não sabia do livro que o menino tinha encontrado no quarto escuro. O livro morava à noite debaixo do travesseiro, longe dos jornais velhos e das enciclopédias. Durante o dia, ficava escondido debaixo do colchão. Foi D. Jandira com o seu olhar comprido que encontrou o esconderijo, uma prova de que ela mantinha o menino sob terríveis suspeitas. Ao ver o livro, a sua reação foi assustadora. Pegou-o como se fosse uma arma letal, e o menino, por sua vez, reagiu como se lhe fosse roubado o tesouro mais precioso. O livro ficou entre as mãos e os braços que o puxavam de cá, o empurravam para lá, de lá para cá. No impacto, algumas folhas caíram, outras foram rasgadas. O braço enrugado, os músculos cansados se debatiam contra o braço macio, os músculos ágeis. O livro incompleto se despedaçando na luta entre a senhora e o menino. As folhas amassadas, pisadas no chão. D. Jandira gritava e acusava o garoto, isso vai fazer mal ao seu avô, xingava e berrava, isso vai matar o seu avô. Franzia o rosto inteiro. Este livro era para estar queimado como o resto, todo o resto. O seu rosto tinha se transformado numa grande ruga. O menino estremeceu com as palavras, e ganhou uma força imensa, força de raiva. A senhora queimou, a senhora que, o menino soluçava, mas estava forte. D. Jandira tinha queimado tudo da sua mãe. A pedido do avô, como uma gentileza ao senhor que ela adorava, tratava com mimos e piscadelas. D. Jandira tinha queimado cada objeto, roupa, foto, qualquer coisa que fizesse ressurgir a presença num vestido desbotado, num bilhete rotineiro, no anel preferido. A sua mãe sumiu, só pode estar morta, só a morte faz uma pessoa desaparecer assim. O menino estremeceu, então não havia uma confirmação, ela poderia estar viva. Todo o resto precisava sumir também, D. Jandira esbravejava, ela teve um filho, mas o filho não bastava. Preferiu se arriscar, morrer. D. Jandira, você vai matar o seu avô, mas o menino estava forte. Puxou o livro com força imensa, movimento que desequilibrou a senhora e a derrubou no chão. Ele saiu correndo do quarto, enquanto D. Jandira sentia a vista embaçada e imensa dor na nuca. O menino viu a queda da senhora que berrava, mas não a violenta batida de sua cabeça na quina de um móvel. Muito menos o desmaio e a fina respiração.

Eu voltei do enterro de D. Jandira pensando que nunca tinha visto uma pessoa morta. Nos meus pesadelos, nunca tinha imaginado o algodão no nariz, nem a pressa em fechar o caixão antes da carne apodrecer. O avô disse para eu me despedir da vizinha, mas eu não sabia como se despede de alguém que não se mexe nem pode mais te olhar. Por fim, toquei de leve a mão endurecida. E senti frio, muito frio. Era a pele sem sangue que me gelava. O pavor tomou todo o meu corpo: o pensamento de que a minha mãe também poderia ter ficado daquele modo. Era uma imagem horrível, minha mãe era a moça do sorriso quente na foto.

D. Jandira acordou do desmaio sem a consciência de que a batida na cabeça seria fatal. Se recostou no sofá da sala do avô sem forças para continuar a guerra com o menino. Recuperaria o livro depois. O garoto é fraco, é apenas um moleque, o colocaria novamente no quarto escuro, o faria mais uma vez aprender. Os pensamentos latejavam tanto que ela não sentiu a aproximação, apenas ouviu a própria voz rosnando para uma figura pequena e embaçada à sua frente. Vou queimar esse maldito livro. O seu avô pediu, não me deixe nenhuma lembrança. Não me deixe, ele disse. E eu não deixei. Tinha a certeza de que não tinha restado nem um fio de cabelo, uma foto qualquer, uma folha solta para contar a história. Nada.

Quando a filha foi embora, quando não voltou, o avô trancou o seu quarto com a determinação de nunca mais abrir. Deixou a cama como estava, o armário como estava, girou a chave na fechadura, entregou à vizinha, disse, joga fora essa porcaria, não serve mais. Mas ela não jogou, guardou numa caixinha em sua cômoda.

Tempos depois, a senhora estava em seu apartamento quando ouviu a campainha, era o senhor espantado com uma criança nos braços. Um bebê ainda, no colo daquele homem. O senhor parecia mais velho do que nunca quando balbuciou, é meu neto. O susto não saía do seu rosto: um rapaz deixou aqui, falou que é o meu neto, acho que é o meu neto, meu neto. Colocaram o menino na cama da mãe. A senhora percebeu a tristeza do senhor. Aquela criança era o sinal, a filha não ia voltar. O menino pela casa, sempre ao encalço do avô. D. Jandira notava o incômodo. A mão saltada de veias, se desvencilhava, vai pra lá, moleque. O menino não entendia o avô tão calado, rabugento, não gosta de nada, reclama de todas as coisas, tá tudo errado no mundo, o avô. Eu tinha certeza, mas um dia um rapaz apareceu com um bebê nos braços, eu tinha certeza, garoto, não tinha restado nada, restou você.

O futuro, ela ficava imaginando, olhando as paredes sujas à sua frente. A de trás, que apoiava as suas costas, era ainda mais imunda. O suor da pele grudava no cimento e a esticava quando se afastava. A pele ia até o limite de sua elasticidade. Ao desgrudar da parede, fazia um som estalado e gosmento, o cheiro horrível. Às vezes, ela passava o dia inteiro com as costas na parede, se afastando instintivamente, pura necessidade do corpo de tomar ar. O dia inteiro, suor, sujeira, cimento, fedor, suor, sujeira, cimento, mas ela não se importava.

Não apanhava mais. Fazia algum tempo. Não sabia o porquê, talvez tivessem acreditado na sua história, talvez estivessem esperando uma confirmação, talvez viessem a qualquer momento pegá-la de novo. As manchas roxas no corpo, quase não se viam mais. Ela olhava a superfície da pele com assombro, o tempo faz isso, renova as células a ponto de não se ver mais a dor. Quando apertava, ainda doía, mas as manchas e as feridas não estavam mais lá. Talvez eles estivessem esperando todos os sinais desaparecerem, para começar de novo. Ela sabia que eles continuavam. Ouvia os gritos. Eles não paravam. Todos os dias, todas as noites, ela ouvia. Era um lembrete para não esquecer. Não se iluda com a pele lisa e sem manchas. A qualquer momento, pode ser novamente a sua vez. Ela não esquecia.

O futuro, pousava a mão na barriga quando pensava nessa possibilidade, dias pela frente, meses, anos. Parecia impossível. Mas a pulsação em seu ventre persistia. O crescimento da barriga marcava o tempo. Eles não a pouparam por isso, perde-se como se ganha filhos. Os tapas, os choques, os ratos, as baratas. Há muitos tipos de tortura, vagabunda. Eles não a pouparam, ganha-se como se perde, mas ela não perdeu. A pulsação continuava. A barriga crescia. As manchas roxas pintavam a pele até que começaram a evanescer. Se apertava, ainda doía. De repente, parou de apanhar, mas eles não a pouparam. O seu filho vai nascer doente, vai nascer morto, não vai nascer. Se a sua história não for confirmada, diziam. Se você estiver mentindo, sua puta. Se a gente não pegar ninguém, ordinária. Ela mentia, ela jurava. Não dizia a verdade. A verdade significava muitas mortes. Ela mentia e jurava.

O plano era a deixarem ali, as paredes imundas, o corpo imundo como as paredes, o cheiro suado do lugar, do corpo, os cheiros entranhados, o lugar e o corpo, como um só organismo. Ela sabia, o plano era deixá-la na imundície, a barriga crescendo na imundície, se formando na imundície, filho da porcaria, diziam, ia nascer do lodo, esse era o plano, ela via nos olhos. Você que procurou, quem mandou se meter onde não devia, quem mandou, agora aguenta, a imundície, o filho nascido na imundície, o futuro na imundície, você não vai sair daqui, ou sai morta, morta e sem filho, os braços estendidos, os braços vazios, ela via nos olhos, era esse o plano.

Mas havia também alguma vida. Um pequeno sol que ameaçava se extinguir. Ela dormia com a mão no ventre, enrolada em si mesma, posição de feto e de mãe. Aprendera, antes da prisão, a mentir sob pressão, dor, desespero. Era preciso acreditar na mentira. Poderia ter, em último caso, um mínimo de verdade. Algo que não deixasse a voz hesitar, que pudesse ser repetido sem esquecimento. Pontos inutilizados, aparelhos abandonados, nomes inventados, era preciso acreditar. A pulsação continuava. A barriga crescia. Ela acreditava. Acariciava o ventre. Eles não a poupavam, o seu filho vai nascer doente, vai nascer morto, não vai nascer. Nunca diziam filha, nem consideravam a possibilidade de mais uma mulher no mundo. Um dia, chamaram um médico. Você vai parir como um animal. Vai morrer, vagabunda. Ela segurava a barriga e dizia o contrário. Tudo que era o pior tinha o seu correspondente bom, foi o jogo que começou a fazer. Eles queriam que acreditasse na morte, no fim, na traição, no desterro, na inutilidade, na culpa. Ela abraçava a barriga, repetia o contrário até se tornar possível. Nada tinha sido em vão, não era em vão, ela acreditava, a pulsação em seu ventre, a barriga crescendo, você não vai ver seu filho, vagabunda, quando ele nascer, ordinária, ou nasce morto ou nasce órfão, a pulsação em seu ventre, ela repetia as palavras, precisava acreditar, repetia.

Quando o médico veio, não o deixaram dar a anestesia. Ela sentiu o corte a sangue frio, a sangue quente. E, de repente, o vazio. Ouviu o choro cortando a cela, entre as paredes imundas, o choro do seu bebê. Antes de desmaiar, estendeu os braços, mas eles despencaram. Ouviu o próprio grito. Fechavam a sua barriga, a sangue frio, a sangue quente. Os braços inertes, a agulha entrando e saindo da pele. A sua pele era um tecido qualquer. Ainda vislumbrou o pequeno corpo avermelhado, antes da dor invadir os seus nervos. Ainda ouviu o choro se afastando, ecoando entre corredores e alas, antes de desmaiar. Antes dos olhos fecharem, ainda tentou, mais uma vez, estender os braços.

[distâncias]

Estou sozinha e me visto. Me pergunto se é um indício de pudor, cobrir o corpo, escondê-lo de mim mesma, andar pelo apartamento coberta, dos ombros às pernas, o tronco especialmente, dos seios ao ventre, toda essa parte, todo esse escândalo. Não, não regredi a nenhuma vergonha original, não sei por que disse essa palavra, saiu como se não fosse eu que dissesse, mas outras vozes, outros tempos, outros homens e mulheres, a mãe, o pai em mim, foram eles que falaram, não eu, eu não. Às vezes falo falo falo só pela ânsia de dizer, para ocupar o espaço, o silêncio, sei, agora não há nada que me impeça de ir para outros lugares, sair, mas não importa se desço para comprar comida, procurar emprego, amigos, outra vida, desce comigo este espaço, compra comida comigo o silêncio, procura emprego comigo essa fissura, e a outra vida, pergunto, alcançá-la significa abandonos, esquecimentos, uma transformação transcendente, sepultar o passado, me tornar outra pessoa, me diga, eu disse que não sentia culpa, que não havia arrependimentos? O que digo pode ser escrito? Como algo que se afirma, algo que se busca, algo que se repete até ensurdecer?

Ontem sonhei com Alice. Deve ter sido sonho, ou a memória do sonho, uma parca lembrança, um delírio, como for, não parecia um sonho macabro como o outro, parecia apenas um sonho, desses que a gente acorda sem susto. Não me assustei quando em vez de ver Alice, a menina do desenho ou do livro, vi a mim mesma, a moça que enxergo no espelho. Eu estava no lugar dela como estou hoje, não como era criança, e nem assim me assustei, o que pode ver uma menina que eu não posso? Eu que já vi tanta coisa, o que pode ter nesse sonho de assustador, nada. Engraçado, o sonho mal tinha começado e eu já tinha esquecido completamente da sensação de terror do outro, de como acordei apavorada, como foi difícil voltar a mim mesma, se voltei, como passei o dia procurando o livro pelo apartamento, para jogá-lo fora, queimá-lo, como um exorcismo. Também já tinha esquecido algo muito importante, apesar de ter procurado exaustivamente o livro não o encontrei, e não encontrar foi como a confirmação de que estava tudo perdido, como se a perda do livro fosse também a perda do que eu procurava, livrar-me de algo que nem consigo nomear, como se o terror do sonho, apesar de eu ter acordado, tivesse ganhado o direito de permanecer em mim.

No sonho, faço anotações num livro, será o próprio *Alice*? Escrevo, sublinho uma frase, *estas não são as palavras certas*, sim, lembro muito bem, há essa frase em *Alice*, quando ela tenta recitar um poema e a sua voz sai rouca, estranha, e Alice não a reconhece como a voz que sai da sua boca, como também não reconhece as palavras que são ditas, assim como eu, que falo, falo e sempre há esse estranhamento, como se fosse outra parte de mim que falasse, uma parte desconhecida, que vou conhecendo no meio das palavras, no meio do caminho, como se essa parte só se revelasse no próprio instante da revelação. O verbo certo, Alice disse no sonho, ou fui eu que disse, eu, porque neste sonho estou no lugar dela, o verbo certo, é preciso dizer para que tudo se manifeste, tudo o quê? Quais são as palavras certas, pergunto, o verbo certo, corrijo, talvez não seja nem mesmo uma palavra, apenas um som, um ruído, um resto de língua morta e moída, mas ainda assim é preciso, tenho certeza de que é preciso descobrir, pronunciar. No sonho falo enquanto escrevo no livro, como se o livro estivesse morto, como se precisasse ser aberto, lido, as suas frases repetidas, reescritas nele mesmo, e como se essa reescrita fosse um sopro que as reanimasse, no sonho eu precisava fazer isso, reanimá-las, tirá-las de um estado de isolamento absoluto, e era como se só eu pudesse evocar esse verbo, por que só eu? No sonho eu tinha essa missão, eu era muito importante, um propósito me movia, eu sentia uma força enorme que ultrapassava meus músculos, irradiava o mundo todo a partir das minhas entranhas, no sonho eu não tinha senso do ridículo, eu não me julgava, eu estava ali inteira, entranhada no mundo, algo maior do que eu mesma me lançava adiante. Nada há em mim de religioso, mas me impressiono, este não é um sonho comum, tem susto nesse sonho, tem algo sobrenatural, e não necessariamente o assombro apenas, tem algo do espírito, de lembrança, de retorno, o que será? Percebo atônita que esse algo pode ser eu mesma, sim, essa parte minha desconhecida que se revela ao mesmo tempo que aparece, como que do nada, como se surgisse no próprio nascimento sem um instante de gestação.

Eu durmo. Não estou acordada, por isso não me preocupo com a loucura. Repito impressionada as palavras do livro, como se evocasse algum poder, como se as tornasse minhas, é neste momento no sonho que paro de repente e olho em volta, o livro me pertence? Algo aqui é meu? Percebo com um desespero maior do que o normal, porque é um desespero sonhado, não vivido nem escrito, que não sei responder a essa pergunta. Vejo que estou no mesmo apartamento em que moro, o sonho tenta me enganar, não me leva mais para lugares idílicos nem literários, é na minha realidade que quer me iludir, fazer comigo um jogo de espelhos, é no meu apartamento de verdade que estou no sonho como eu mesma no lugar de Alice no livro. Dessa vez o sonho fez o contrário, trouxe Alice para o meu universo e não eu para o dela. Ao menos não há mais cova, digo a mim mesma, tento me consolar, mas a cova é uma memória, saí de lá e ainda estou, e esse movimento de sair do lugar e permanecer na memória é continuar, é nunca ir embora. Respiro fundo, chego a sentir o meu peito subir e descer, o alívio. Calma, nada disso é real, estou na cama dormindo, digo a mim mesma, olhe, você está na cama dormindo, é essa a sua realidade, olhe, no sonho você é você em seu apartamento, você está em sua casa, o que pode ter de assustador?

O nome, agora não penso mais no nome, nem na parte do armário fechada, na caixa, nos documentos intocados, penso na outra porta, a que abro todos os dias para me vestir, penso no corpo, no vestido que me cobre agora e que não me cabe, de quem é esse vestido? De quem é o corpo? Não o meu, o outro, o que não está mais aqui para entrar nesta roupa, onde está, por onde anda, ainda anda, ainda respira, deseja, come, dorme, ainda é um corpo? Não terei respostas, a pergunta é feita mesmo assim, onde está esse corpo, essa pessoa, onde está, por que foi embora, por que deixou as roupas, por que não levou o que lhe pertence? Olho em volta, a certeza de que nada aqui é meu, roupas, livros, cartas, fotos, às vezes espalho todas essas coisas no chão, por que ficaram, por que ruminam? Às vezes fico horas olhando as fotos, conheço esses rostos? Algum deles é o meu? Sou eu ali sorrindo, abraçada? Aquele olhar eu reconheço? Aquele homem, aquela mulher estiveram aqui? Que lugar bonito é esse? Às vezes deixo as fotos e as cartas sobre o meu corpo, as palavras, as imagens, a pele, se estranham, se reconhecem? O que há além dessa superfície de sangue e células? Há alguma lucidez em mim? Essas palavras não são as minhas, eu não escreveria assim, mas, se não são, onde está o que escrevo? Essas pessoas nas fotos, não as reconheço, mas, se não as reconheço, o que fazem aqui? Essas moças nas fotos não sou eu, mas, se não sou eu, onde elas estão, onde estou? Que tipo de lucidez pode afirmar, neste instante, que eu não posso ter sido essa moça sorridente? O que a separa de mim?

Esse vestido algum dia foi meu, se encaixou em mim? Ou foi o meu corpo que mudou? É possível crescer crescer a ponto de quase explodir, e depois diminuir diminuir a ponto de quase desaparecer, como a Alice no livro? É suportável se transformar tanto assim? Ando pelo apartamento com o vestido arrastando pelo chão, os panos sobram, há um vão entre o tecido e a minha pele. Uso um vestido largo de grávida, imagino uma barriga inexistente, estufo o abdômen, o filho que nunca terei já é uma presença. É um corpo que já nasce extinto, nem mesmo é um corpo, mas uma ideia que morreu no pensamento, sem se tornar matéria, ou uma emoção, apenas uma emoção que não encontrou o seu gesto. Digo essas palavras, mas talvez eu tenha tido um bebê em meus braços, imagino o parto, foi bonito, foi sofrido? Eu estava no hospital, na prisão, aqui? Imagino a alegria de ter um filho, imagino a dor de perder. Tento sentir, suportar essa alegria, essa dor, mas a minha barriga murcha como uma bola de gás, não consegue sustentar o vazio.

Talvez eu tenha perguntado a eles, antes de irem embora, essas roupas vão ficar? Esse vestido não é mesmo meu? Escuto uma voz, uma memória, um assombro, não, não é seu, é de outra mulher, outra, você não pode, lembra, disseram como um fato, depois de tudo que aconteceu, você não pode, eu escutei sentindo que havia ali uma verdade, afinal, como poderia, eu teria que ter uma força, uma crença, eu teria que ter alguma coisa de criança, uma esperança, para gerar, conceber, além do útero, eu teria que ter um útero, lembra?

Então o que imaginei da criança em meus braços não existe, pode ter sido um sonho, ou a lembrança de outra pessoa, uma história que alguém contou e depois de um tempo você não sabe mais se aquilo aconteceu realmente, se foi com você ou com outra pessoa. Depois de um tempo você não sabe mais se você é você ou se é outra pessoa, você não sabe mais depois de um tempo quando você deixou de ser você, quando se tornou outra pessoa, nem sabe se você nunca foi o que você chamava de você, você não sabe, mas talvez sem saber você sempre tenha sido outra pessoa. No livro, Alice encolhe, estica, aumenta, diminui de tamanho, e era assim que eu me sentia, tão grande, tão pequena, imensa como a Terra, mínima como uma formiga, capaz de tudo, incapaz, e eu nem havia comido nada, como Alice no livro, mas sentia os efeitos, e eram esses efeitos que me assombravam, como se me levassem a um caminho sem volta, um caminho cheio de bifurcações e desdobramentos, onde não havia o dia seguinte, onde não havia a manhã, nem abrir os olhos e acordar, porque ao fazer isso eu estaria em meu apartamento de novo, o mesmo em que eu estava no sonho, e não poderia mais saber se era no apartamento do sonho que eu acordava ou no apartamento da minha vida fora dele, então era como nunca acordar, como se eu permanecesse num estado sonâmbulo de uma realidade, um lugar que eu não poderia mais dizer a qual esfera pertencia, como a moça que engravidou na prisão, teve filho no exílio, essa moça não sou eu, me falam. Há marcas em meu corpo? Há, mas o que dizem? Olho para elas como palavras escritas em outra língua, não há como sair da superfície, arrancar as camadas, alcançar o cerne do que representam, nada diz, nada garante. E aquela outra moça, dividíamos a cela, ela chegou sem lembrar o próprio nome, é possível isso, não saber como te chamam desde que nasceu, ela não sabia, os choques, as porradas fizeram esquecer, mas, antes disso, a família a internou, contaram, os remédios, os eletrochoques, os médicos, porque ela estava doente, precisava ser salva, a família não queria que acontecesse o pior, será que posso afirmar, essa moça não sou eu, dizer que só estávamos na mesma cela juntas, que líamos juntas, dormíamos juntas, penteávamos os cabelos uma da outra, desembaraçávamos os fios, desfazíamos os nós, fazíamos artesanato, escrevíamos cartas, ouvíamos nossos horrores, nossos desmaios, recebíamos o corpo uma da outra nos braços, cuidávamos das feridas, nos beijávamos, acarinhávamos, de repente éramos amigas, irmãs, mães, avós, éramos uma linhagem que não podia se romper.

Você vai enlouquecer, eles disseram antes de ir embora. Quem vai te acordar dos pesadelos, quem vai dizer que já passou? Eles não sabem, mas eu me abraço todas as manhãs, não é a minha mente, é o meu corpo que fala comigo. E se eu enlouquecer, e daí, dentro da loucura estou salva, estou sã, dentro da loucura posso sonhar, sonho com o útero que me tiraram, eu o vejo, eu o seguro, eu o coloco de volta em meu corpo. O vão que me deixaram é restituído, o espaço, eu o ocupo, e dentro dele posso ter um filho, um filho que crio com as minhas próprias mãos, ou nem precisa ser uma criação de carne, uma criação, o que me é devido, a loucura não, o sonho.

[corpos]

A imagem. Eu li em algum lugar que uma foto, por si, não revela nenhum significado, apenas uma aparência. Todos os esforços de interpretação não passarão de esforços, e a imagem nunca passará de uma imagem. Para ultrapassar a aparência é preciso narrar e a imagem não narra, é preciso existir testemunhos dos acontecimentos e não temos, nossa mente se detém no formato de uma foto assim como nossos olhos, estamos soltos no tempo e presos na aparência. Não podemos narrar.

Melina não se conforma por eu não ter aberto as caixas do meu avô. Para ela é a prova concreta, eu me recolho em meus pensamentos, eu me distancio do mundo real. A realidade para ela está dentro daquelas caixas. Um monte de quinquilharia, garanti, ele não jogava nada fora. E as coisas da sua mãe? Disso ele se desfez. Nunca encontrei nada dela em casa, só o livro, só *Alice*. Você não quis nem mesmo ver, podia ter alguma coisa, fotos, documentos, nunca se sabe. Não, eu não quis ver, eu não quis ver, eu não quis ver. Às vezes, a repetição se torna uma ladainha sem sentido para os outros e para nós mesmos. Melina e eu começávamos a nos tornar surdos para as nossas repetições, chegávamos a uma espécie de limite?

Estou na sala vazia. O epicentro da casa. A cozinha, os quartos, os banheiros, ressoam um barulho, ruído, que na verdade não existe, é apenas o reflexo do que já existiu, isso eu acho, eu sinto, em pé aqui no epicentro da casa, porque não posso conceber que ainda exista algo aqui, não posso admitir que ainda há alguma coisa que se identifique como vida, vou fechar a porta e nada restará a não ser o vazio, como no início, o fim. Estou no quarto do meu avô. Ele morreu deitado para o lado esquerdo, o coração sobrecarregado pelo peso do corpo. Ele morreu dormindo como preferiu viver, ausente para tantas coisas. Eu o encontrei sem pulso e sem temperatura, chorei assim que identifiquei a morte. Não esperava chorar. Vivemos num carinho guardado desde sempre. Gostei do choro, foi uma prova dos meus sentimentos. Acionei o plano funerário, não precisei fazer nada, eles fizeram tudo, no mesmo dia chamei o caminhão da mudança. Mostrei as caixas no armário, não precisei fazer nada, eles fizeram tudo. Naquela mesma noite estava num quarto de hotel. Melina foi me encontrar, o que você está fazendo aqui? Ela me abraçou dormindo, acordada, mesmo durante os pesadelos, os seus braços não deixaram o meu corpo. Eu aceitei, apenas aceitei, como se me rendesse, o final de uma grande luta.

Estou no quarto da minha mãe. O quarto que herdei, os móveis, a cama, o colchão. O colchão troquei assim que pude, tive que crescer e trabalhar e ganhar dinheiro para isso. O homem da mudança perguntou se podia ficar com os móveis, já que eu não ia levar nada. Quis recusar, tive pena daquele homem e daquela família, não se deve herdar nenhum peso que não o nosso. Ele levaria para a sua casa vestígios de outras pessoas, outros tempos, isso pode ser perigoso, eu quis recusar, mas como, se os móveis ainda serviam, ainda eram úteis, se uma pequena reforma poderia deixá-los como novos, como dizer cuidado, nunca se sabe o que pode acontecer, poderá entranhar nos corpos, sugar as energias, danificar os sistemas, atingir o cérebro, pode ser muito perigoso, nunca se sabe o efeito dessa mistura, os vestígios dos outros e os nossos.

Eu não imaginei nada daquilo, uma manhã na cama com Melina interrompida, uma carta do exterior de repente em minhas mãos, a caligrafia desconhecida, tudo dentro daquele envelope desconhecido. Escrevo de Portugal, a carta começava assim. Faço mestrado em História, estava escrito. Vi se repetir em Melina a minha reação. A estranheza por aquele início, por se escrever a uma pessoa desconhecida dizendo de onde se escreve e o que se estuda, não quem se é. Estou em Portugal, mas moro no Rio, estou em Portugal, mas não há mais nada a fazer aqui. Espero o dia do voo, o que faço é esperar. O meu orientador disse para eu aproveitar o tempo. Você está do outro lado do oceano, fez o caminho de volta, aproveite para olhar para cá, ver as coisas de outra forma, não só o mundo, mas você, a sua pesquisa. Quis dizer a ele que aqui as coisas nunca me pareceram tão nítidas, tão próximas, e que o mundo, a pesquisa, eu, daqui, nunca me pareceram tão abstratas, tão distantes, mas não disse. Estou dizendo a você, nem sei por quê. Me esforço para cumprir o que meu orientador fala. Me esforço para mudar a minha visão, entender aonde ele quer me levar. Na maioria das vezes, me deixo guiar às cegas, como se eu só pudesse seguir cegamente. Esta carta escrevo assim. De olhos fechados e no escuro. E é assim também que você a recebe, eu sei. Até a semana passada, estava com o meu pai. Nasci aqui, mas fui criada no Rio, provavelmente perto da sua casa, embora não soubesse de sua existência. Vim para cá cuidar do meu pai. Cuidei até que ele morreu. Meu pai se chamava José Antonio Guimarães. Não sei se este nome te diz alguma coisa. Se algum dia foi pronunciado perto de você. Deveria ter sido, deveria dizer. Agora, é tarde. Ele está morto.

Daniel, o meu nome é Olívia. Eu sou sua irmã.

A palavra ressoa como uma onda, vai e volta no espaço. Irmã? O som, às vezes precisamos do som, esse baque nos ouvidos e no peito. Mas por que agora? No meio de tantas outras coisas por vir, se é que virão, não ditas ainda, se é que serão, por que essa irmã do nada, sem função, sem motivo? Mas uma irmã não se inventa, ela existe, ela aparece, ela é. E o pai? Para que um pai que chega morto e enterrado, sem nenhum vínculo, um pai sem rosto, até agora sem nome. Para que de repente completar o quadro familiar com essa ausência, mais uma, e outra presença, tão desnorteada como a minha, dois espectros a se assombrarem.

O nome nunca pronunciado quando eu estava por perto, disse a carta. Desde o berço, ou até antes do berço. Só quando eu estava longe, o avô num murmúrio entre os dentes, o som triturado pelo maxilar. Agora, é tarde, está escrito na carta, como se houvesse a certeza do silêncio em minha casa. Como se fosse testemunha de cada omissão do avô. Agora, é tarde. Ele está morto. Eu paraliso nessa frase, não consigo aceitar. Se ele está morto agora, como estava antes? A ausência não é uma espécie de morte? O comunicado da sua vida que seria um acontecimento, um grande acontecimento. Melina tenta pegar o papel das minhas mãos, eu desvio o braço. Como é o nome da minha irmã? Olívia. Olívia decreta a morte do nosso pai como o fim de sua existência. Mas é o contrário, ao morrer que esse pai começa a existir. Eu não pensava nele, era como uma névoa, nem ao menos o imaginava capaz de dormir e acordar, comer e escovar os dentes, e agora está morto há poucos dias. Teve velório, lágrimas, e seu corpo não ocupa mais nenhum espaço sobre a terra. Está abaixo dela, na escuridão de quem não abre mais os olhos, cego para todas as coisas aqui de cima.

Melina pega o papel das minhas mãos, relê a carta, quer se assegurar da verdade, das palavras. E se for um engano, não for você, for outro, o que garante a verdade, como saber, não há nada que comprove, e como você disse, por que isso agora, uma irmã, um pai, não faz sentido, é inverossímil. Melina fala como se a gente visse um filme, lesse um livro, por que esperar coerência, a verossimilhança só existe no mundo irreal, é construída com planejamento, um conflito, uma ação, consequência, um desejo, um movimento, tudo pensado, medido e assim nasce o mundo que não existe. Aqui não, aqui as ações se atropelam, os movimentos se cruzam, os desejos colidem, se potencializam, se anulam, sem harmonia, sem lógica, sem ordem, sem nada, tudo coexiste e se esforça para existir, por isso eu, você, por isso agora um pai, uma irmã.

Durante o dia, o velho não fazia nada, de noite, dormia. Não dormia de dia para ter sono à noite. Por mais que os olhos pesassem, ele resistia. Chegava a lavar o rosto com água gelada, muito gelada. Uma vez, encheu uma bacia de gelo e pôs os pés. Chegou a esse ponto para não cochilar à tarde. A filha chegou em casa e levou um susto. O pai, já doente, queria pegar uma pneumonia e se matar, ela tirou rapidamente a bacia sob os pés velhos. O pai queria morrer, exclamava em prantos.

Ele não disse nada. Tudo para a filha tinha que ter uma explicação. Então o silêncio era a sua vingança. Toda pessoa tem uma necessidade, alguns precisam de carinho, outros de dinheiro, outros de solidão, outros de gente etc., a filha era do tipo que precisava saber o motivo de tudo. Abrir a porta de casa e se deparar com o pai com os pés imersos numa bacia de gelo exigia muitas respostas. O velho não deu nenhuma. A verdade é simples. Um cochilo à tarde aliviaria seus pensamentos, mas cobraria o preço da insônia. E todo velho sabe, é na madrugada que moram os piores fantasmas. A filha sofria. O pai se vingava. Era um instinto, quase uma necessidade. Não se resiste a isso, é fatal como o destino. O frio lá fora, os pés mergulhados no gelo, a filha nunca saberia. Ele negava. Fazia questão de não dizer. Não era só um velho doente, era um velho doente com muitos fantasmas.

A filha cuidava dele com uma insistência irritante. Não desistia. Procurava tratamentos alternativos. Ervas, cores, mantras, sons, anjos e demônios que me carreguem. De vez em quando ela chegava com uma novidade. Beber algo intragável em jejum, repetir determinada frase três vezes ao dia, tomar banho de luz por vinte minutos. No início, ele obedecia. Dava pena tanto empenho. Tanta vontade de lutar contra o inevitável. Ela tinha vindo de longe para isso, lutar contra o que, cedo ou tarde, ia acontecer. Ele já tinha se conformado, era quase um alívio saber que estava perto do fim. Iria se juntar aos seus fantasmas. Finalmente, não ia mais assombrar nem ser assombrado. Isso é um alívio para um velho doente. Mas a filha não desistia.

Assim que a viu em sua sala, as malas ao redor, se arrependeu de ter escrito a carta. A maldita carta. Não imaginava que ia largar a família, pegar um avião, como se fosse algo urgente, algo que necessitasse de tanta atenção. Talvez ele tenha pesado as palavras. Deve ter escrito morte algumas vezes, doença em vários parágrafos. A filha não entendeu. Não era um chamado, era uma despedida. Foi um mal-entendido, não precisava ter feito as malas e atravessado o oceano. Isso é para gente desesperada. Mas ela se instalou em sua casa com ares de enfermeira. Fez listas e cardápios. Estipulou horários para as refeições e para os banhos de sol. Nada daquilo era necessário. Não precisava largar tudo como se ele estivesse com os pés na cova. Era um velho doente. Perdia a paciência por qualquer coisa. Enchia uma bacia de gelo e mergulhava os pés. Não explicava nada. Era um velho com seus fantasmas. Ela tinha uma benevolência irritante.

Foi no dia que nosso pai morreu que encontrei a mala, Olívia escreveu. Na parte de cima do armário, atrás de algumas caixas velhas. Eu estava procurando um terno para o velório. Não queria enterrá-lo de pijama, nem com as calças desbotadas. Calças que ele não vestia há muito tempo. A doença não o deixava mais sair de casa. Perdeu as forças que o faziam se levantar da cama, tomar banho, escovar os dentes, se sentar no sofá. Ele foi se esvaindo, a respiração fina e fraca, até que um dia aconteceu. Eu já esperava a morte, mas, quando ela chegou, foi como se arrombasse as portas. Eu não estava preparada. A gente nunca está. Parecia que nada daquilo era possível. Nada mais improvável do que o meu pai morrendo na minha frente. Segurei a mão dele com força para que soubesse que não estava sozinho. Não que ele se importasse. Ele não se importava. Mesmo assim quis que soubesse que eu estava ali, que não fui embora, que, apesar de tudo, fiquei, eu sempre fico.

Não encontrei nenhum terno. Encontrei caixas, essa mala, que deixei num canto para ver depois. Saí para a rua com o sentimento mais espantado do mundo, estava indo comprar uma roupa para enterrar o meu pai. Eu o deixei deitado morto na cama, bebi um copo de água na cozinha, molhei as plantas antes de sair. Ao me deparar com as pessoas, o movimento da rua, me perguntei como alguém faz isso, qual o mecanismo, o botão que a gente aperta, por que bebi água, as plantas não podiam esperar um pouco? Eu não queria que nada mais morresse aquele dia, é uma explicação razoável, era verdade? Por que o deixei sozinho, por que não o vesti com qualquer roupa do armário, alguma deveria servir, por que estava na rua olhando vitrines, por que entrei, sorri para a vendedora, e pedi ajuda para uma compra tão simples, um terno para um enterro, não para um amigo do falecido, mas para o próprio, o meu pai? Por que falei isso e esperei a reação pesarosa, o carinho sincero ou forçado, não importa, o carinho, o consolo, o cuidado especial, um copo de água, por que aliás bebi mais água, por que me sentei e me senti como se fosse chorar, por que aceitei o desconto e saí da loja agradecida e emocionada com a generosidade alheia, por quê.

Cheguei em casa com o terno novo. Antes de sair, eu havia dito, já volto, e ao abrir a porta, cheguei, o mesmo hábito incrédulo me fazia dizer. Enquanto eu o arrumava, o vestia, pensava, era coerente enterrar o pai que pouco conheci com uma roupa que não lhe pertencia. Fazia sentido. Que ele não tinha comprado nem ganhado de presente. Não tinha usado em nenhuma reunião, festa ou cerimônia. Não tinha usado nunca. Muito menos passado pelos corredores da casa ajeitando a gravata ou pedindo para a minha mãe fazer isso. O meu pai não era o tipo de homem que vestia terno para ir a reuniões, festas ou cerimônias. Nem que pedia à mulher para ajeitar a gravata. O meu pai não era do tipo que tinha uma mulher e uma gravata. Era do tipo que não tinha. Nem mulher, nem gravata, nem terno. Nem reuniões, nem festas, nem cerimônias. Tinha uma filha, que raramente procurava. Tinha um filho que nunca viu e morreu sem ver.

A mala. Não havia roupas, mas cartas dentro dela. É isso que quero que você saiba. As cartas foram escritas há muitos anos por um amigo da sua mãe, não sei se era amigo do nosso pai, não sei se nosso pai tinha amigos, mas era alguém que conviveu com eles, que os conheceu de uma forma que você e eu nunca vamos conhecer. Não importa. O pouco que eu sei. O nada que você sabe. Ele detestava formalidades, ternos e gravatas, estava nas cartas. Eu só li depois. Eu o arrumei para o próprio enterro com as roupas mais formais possíveis. Era tarde demais para desenterrá-lo, tirá-lo do caixão, vestir uma blusa de malha, uma bermuda. Não fiz de propósito, eu não sabia. Não sou de me vingar. Só queria que ele ficasse bonito. Eu o arrumei com muito cuidado. Os cabelos, o nó da gravata, os botões do paletó. Nessas cartas, descobri que você existia. Esse amigo deu a notícia, há muitos anos, para o nosso pai. Nessas cartas, ele fala da sua mãe, coisas que você não deve saber, e cita o endereço dela, que agora é o seu. Nessas cartas, há o endereço desse amigo. Que pode ter mudado, ou morrido. Nosso pai sabia onde você morava e nunca te procurou, nunca me contou. Ele tinha pesadelos. Às vezes gritava à noite, dormindo. Às vezes chamava a minha mãe, como se ela estivesse ali deitada ao lado. Outras vezes, chamava a sua. Até ler as cartas, eu não sabia quem era aquela mulher chamada no escuro. Ele não falava dela, era como se ela não houvesse existido. Não é incrível o que fazem os sonhos. Materializam as lembranças mais profundas, a ponto de se tornarem uma presença, ganharem voz. Ele tinha medo de dormir. Nunca sabia o que ia encontrar. Se dormia de dia, era pior. Devem ser mais assustadores os pesadelos diurnos. Ele nunca me contou. Nem mesmo doente, nem mesmo morrendo. Nem uma palavra. Eu o amava. Era preciso sempre insistir nesse amor, como se fosse algo direcionado à pessoa, mas fora do universo dela. Era preciso insistir, porque era um amor que escapava. Que nunca encontrava o seu lugar. Quando o vesti, senti pela primeira vez o amor possível. Eu o arrumei com muito cuidado, lentamente. A camisa, a calça, a pele já fria. Cada botão, a gravata. Eu não sabia. Eu não queria me vingar de nada, nem mesmo desse amor.

Sentados lado a lado, eu e Melina olhávamos aquele homem enquanto ele falava. As rugas tomavam todo o rosto. As linhas saíam dos olhos, da testa, da boca, atravessavam as bochechas e alcançavam o outro lado. Um mapa de cruzamentos e bifurcações. As linhas profundas, fincadas como escrituras na pele. O homem movia o rosto, mas o rosto não se movia. Não franzia nada. Não precisava, já estava tudo franzido, há muitos anos.

Os nomes dos meus pais saíam da sua boca, o som invadia a sala, a familiaridade cobria as palavras, evocava lembranças, pequenos gestos, atitudes, jeitos de ver o mundo, de acordar e dormir. Eu não me cansava de escutar. O homem dizia, meu pai era sério, a minha mãe alegre. Repetiu várias vezes, como se fosse muito importante eu saber disso, o humor. Disse que se conheceram na rua. Minha mãe numa passeata, meu pai voltando do escritório. Se apaixonaram. O homem me olhava. Se apaixonaram. Me olhava. Eu era o resultado daquilo, a paixão, era o que o olhar me dizia. De tudo que aconteceu, eu era o resultado. Duas pessoas não podiam ser mais diferentes, continuou. A última vez que os vi, foi na véspera de eu ser preso. No apartamento onde nos escondíamos, os clandestinos. Depois, não tive mais notícias. Todos nós desaparecemos, uns ressurgiram, outros não. A maioria nunca. O homem não disse mais nada. Não podia nascer mais rugas naquele rosto. Era impossível. Foi o senhor que escreveu ao meu pai. Que contou que minha mãe engravidou e eu nasci. A minha irmã achou a carta. Foi o senhor.

Eu não tive mais notícias, o homem disse. Alguém me falou do seu nascimento, não lembro quem. Eu era muito amigo, irmão da sua mãe. Não sabia se ela estava viva ou morta. Depois de um tempo, se tornou normal pensar nas pessoas dessa forma. Soube que você existia, tinha nascido, o filho da minha amiga, irmã. Um bebê. Fiquei feliz. Foi isso. Escrevi a carta. O seu pai não me respondeu. Como o senhor sabia o endereço dele? Nunca me respondeu. O senhor disse que não teve mais notícias. Alguém me deu, num pedaço de papel. Não recebi nenhuma resposta, achei que o endereço era falso, que eu escrevia para ninguém. Mesmo assim, continuei. Não sabia se era lido, mas precisava continuar. Eu amava a sua mãe. Ela amava o seu pai. Ele soube do filho. E não fez nada. De tudo o que aconteceu, de toda a merda, um filho. Era o que ela deixava. E ele não fez nada.

Naquela noite, escrevi para Olívia. As cartas que você encontrou nunca foram respondidas. O homem continuou escrevendo, sem respostas. Continuou dizendo o que precisava dizer, sem ninguém para ouvir. Ele disse para o vazio, escreveu para o vazio. Não sabia que do outro lado havia alguém, em silêncio. Alguém que lia, alguém que escutava. Mesmo sem saber, ele continuou. Não sei quando foi o suficiente, quando precisou parar. Sei que ele me contou muito pouco, talvez tenha dito mais nas cartas ao nosso pai. Quando saímos, Melina disse, o homem não falou o mais importante. Mas o que é o mais importante. O que ele poderia ter dito. Nem ele, que foi amigo, que conviveu, que muitas vezes estava ali, ao lado, pode me entregar o que eu queria receber quando bati naquela porta, quando vi aquele homem enrugado, com mais rugas do que idade, surgir na minha frente. O estranho que procurei indicado pela irmã que não conheço, o estranho amigo quase irmão da minha mãe, que não gostava do meu pai, que mesmo sem gostar escreveu para dizer que ele tinha um filho. E mesmo sem resposta continuou escrevendo, um filho, um filho, um filho. O que eu queria, algo mais que a fala desse estranho, mais que as palavras de uma irmã no papel, as palavras escritas por alguém para um pai, alguma aproximação, as rugas, eu queria o que está nas rugas, as cavidades e reentrâncias, a sua origem, o início da perfuração, do ressecamento, eu queria alcançar o antes, antes das cartas, de mim, antes da distância, aquele ponto onde tudo começa e termina, antes das palavras.

Entramos, Melina e eu, no apartamento em silêncio. A moça abriu a porta por consideração, não por vontade, fez questão de dizer. Atendia ao pedido do senhor insistente e triste, que a procurou mais de uma vez com a sua insistência e tristeza. Falava do homem com rugas que tínhamos visitado. Assentimos, agradecidos. Não sei se havia algo a agradecer. Sim, o fato de estar ali na casa de uma estranha, a porta aberta, a confiança moderada entre desconhecidos completos. Era um desconforto. Não quero que minha casa seja vista desse modo, é a última vez. A nossa presença, um incômodo. Concordamos, é a última vez. Olhei as paredes, a tinta fresca brilhava. Eu também não queria estar ali. Foi Melina que me segurou pelo braço, escrevi mais tarde para Olívia. Insistiu para eu ficar. A moça foi na cozinha fazer café, disse fiquem à vontade, podem olhar, mas não mexam em nada. Ela sumiu no corredor me deixando a certeza de que, mesmo se eu quisesse, não havia nada para mexer. A tinta fresca, os móveis novos. Não havia nada.

Descrevi o apartamento para Olívia. Na sala, quadros coloridos, às vezes berrantes, como se realmente gritassem. Décadas atrás, devia haver poucos móveis. Almofadas, talvez um sofá velho, uma mesa de fórmica, cadeiras. Tudo muito improvisado, era necessário apenas o básico para ficar, o essencial para ir embora. Roupas, livros, o que desse para levar, que seria pouco, sempre é pouco quando se necessita fugir. No quarto, que olhamos rapidamente – não queríamos parecer intrometidos, mais inconvenientes do que já estávamos –, a cama de madeira maciça, o cobertor quente protegendo, armazenando o calor. Tudo na casa tem a intenção de permanecer, escrevi para Olívia. Nada é frágil nem provisório, são coisas feitas para durarem, deixarem marcas no chão e nas paredes, como tudo que fica. O homem com as rugas passou por aqui, nosso pai e minha mãe também passaram, dormiram no quarto, conversaram na sala, comeram na cozinha, transitaram pelos corredores. Um dia, pegaram as roupas, os livros, os cadernos, saíram correndo, levaram o que deu, e nunca dá muito quando se precisa correr. O homem com rugas ficou e foi preso. Ele amava a minha mãe, não gostava do nosso pai. Muitos anos depois, ele continua vindo no apartamento, a dona não aguenta mais, aquele homem enrugado precocemente. O encontro das rugas com a sua casa, as linhas acentuadas ao atravessarem a porta, como se voltassem ao lugar original. A moça não aguenta, pede para a gente ir embora. Não oferece o café, não quer que a sua casa seja vista desse modo, do modo como era, anos atrás. Pintou as paredes, pendurou quadros coloridos, berrantes. Comprou uma mesa de madeira rústica para a sala, uma cama maciça para o quarto, onde pudesse comer em paz, dormir em paz. A tinta fresca, os móveis novos. É a última vez, a moça disse.

Saíamos do apartamento em silêncio. Descemos as escadas correndo, os degraus curtos em desequilíbrio, lançando nossos corpos para fora. O prédio está nos expulsando também, disse à Melina, ofegante. Na rua, nos abraçamos.

A imagem é de uma mulher, o corpo nu, o corpo morto de uma mulher. Melina me mostra, os seus dedos não conseguem mais segurar a foto. Há um grande peso, a foto desaba em minhas mãos. Vejo o esforço de Melina em carregá-la até mim. O que ela suportou até aquele instante. Me custa olhar. O efeito é tão diferente dos momentos na biblioteca, como se aquela imagem rasgasse os livros e me fizesse engolir o papel, as palavras, goela abaixo. Tenho sentido pontadas no estômago, o médico não viu nenhuma novidade em minha dor, disse, é gastrite, nada que um remédio não resolva. Uma substância que anestesia as mucosas, reduz o ácido, uma substância que nos impede de sentir os danos do excesso da acidez, a corrosão que o próprio organismo produz.

Não voltei mais à biblioteca, não abri mais um livro, todos os meus esforços em escrever têm sido o de desdobrar a imagem presa em minha mente. Desisti do remédio e aceitei a dor. A cada pontada eu pergunto, o que aconteceu, por que ela está ali. O quarto pertence a um apartamento ou casa, escrevi, como se escolher o lugar em que um fato acontece fosse o mais importante. Escolhi apartamento, mas logo me voltei para o que não foi escolhido, a casa, uma lembrança de crianças pulando muro, uma fuga, uma brincadeira, sem noção do perigo. Naquelas circunstâncias uma pessoa adulta fugindo de uma casa tem consciência dos riscos, por que então preferi aludir à infância, não sei, talvez pela minha própria necessidade de sair desse lugar, na minha consciência, sair dali correndo como uma criança.

Depois escrevi sobre o apartamento e as suas escadas. Há sempre um apartamento para ficar e outro para se lançar escada abaixo.

Escrevi todo o cenário: móveis, pintura, eletrodomésticos, escrevi para poder depois quebrar as cadeiras, a mesa, as portas e as paredes com o meu pé escrito e a marreta que também escrevi, o grito que sai da minha garganta, a dor que me faz dobrar sobre o estômago. Escrevi aquela mulher no dia anterior, antes de ser colocada na cama, quando ainda andava com as próprias pernas, levantava e deitava quando tinha vontade. Será que ela pensava no futuro, será que era mãe, tomava pílula, era virgem, escrevi aquela mulher em algum lugar verde e bonito, o sol sobre ela, escrevi a pele iluminada dessa mulher, o corpo sorrindo de sol para não escrever o outro corpo, o imóvel sobre a cama, mas depois, como se não houvesse alternativa e algo remoto me levasse de volta à escrita desse corpo, como se só ele existisse na face da Terra, escrevi um corpo último, sobrevivente às invasões e guerras, à fome e a todo tipo de miséria, todo tipo significa a minha, a sua, a nossa, escrevi que essa miséria ignora a capacidade de sobrevivência do corpo e o aniquila, num só golpe. O último corpo, o único que tínhamos à mão para comprovar que existimos, nada mais nos resta como prova da nossa capacidade de sobreviver a nós mesmos. Agora que se foi o último corpo, podem dizer o que quiserem. O corpo não pode mais erguer os braços nem falar, não pode mais pegar uma caneta, atacar nem se defender, o silêncio sepulta o corpo, escrevi; como é difícil escrever sobre o corpo.

Eu e Melina nos olhamos, silenciamos, e me pergunto como depois dessa conversa veio o desejo, nos olhamos e me pergunto se o desejo está sempre ali independente do que falamos e sentimos. Ou é um hábito nos aproximarmos, e se começamos a nos tocar, beijar, trepar somente por hábito, ou se não, se foi justamente pelo que falamos e sentimos que veio o desejo, que trepamos para nos salvar de tudo aquilo, espantar, com os nossos corpos, todos os outros.

estou deitada no meio da sala, olho o teto branco, as rachaduras, como todos os dias, brinco de abrir e fechar os olhos, alternadamente, como todos os dias. geralmente enxergo melhor com o esquerdo, o olho direito deve ter algum problema, com ele perco a nitidez, o contorno se esvai, como se não houvesse uma linha definitiva onde as coisas começam e terminam. é com esse olho que vejo meu dedo indicador se confundir com o que está ao seu redor, a brincadeira aos poucos me aflige, porque depois de um tempo parece que tudo se desfaz e se dilui, e que eu e a sala, eu e o armário, eu e o teto, eu e eu somos um só. para ficar mais tranquila mudo a visão para o olho esquerdo, abro os dois olhos e vejo que é esse o olhar predominante, a nitidez se sobrepõe ao embaço, tenho vontade de rir, não sei por que rio, rio, rio, rio, rio, às vezes acontece isso, uma palavra mudar de sentido após algumas repetições, penso no pequeno rio atrás da minha casa da infância, penso no rio a minha cidade, penso tanto que a minha risada se afasta, vai para longe, parece que é outra pessoa que ri, parece que é outra pessoa sozinha nesse apartamento, deitada no meio da sala, o chão de tacos velhos e soltos pinicando as costas. estou distante escutando a minha risada, o som ecoa pelas paredes, cresce como se houvesse um amplificador, escuto o som reverberar e de lá me acho meio louca, faço agora a brincadeira com os ouvidos, tapo o direito para conferir se o esquerdo tem audição melhor ou pior, inverto, não consigo identificar nenhuma diferença. insisto porque deve haver alguma variação, por mais sutil que seja, a cada experiência rio mais alto, não sabia que tinha tanta potência na voz, o meu peito infla, de longe me escuto e me sinto inflar, estou e não estou aqui, o som me leva para fora, o corpo me traz para dentro. rio alto tão alto a ponto de não ouvir o barulho de chave na porta, o rangido da porta se abrindo, não escutar os passos e alguém entrando, por instinto me viro rindo rindo e enxergo com a minha visão mais nítida: uma mulher com uma criança no colo, parada, perto da porta.

a mulher me olha com espanto, vou ter que explicar que não sou louca, penso, estou rindo assim porque me lembrei de uma piada, explico, ela me olha como se achasse mais loucura a explicação do que a risada, então me pergunto por que nunca usei esse recurso para os momentos mais tristes, contar a mim mesma algumas piadas, não há mal nenhum nisso, rir apesar das circunstâncias. eu gosto de rir, explico de novo, não sei por que tenho que me explicar, a mulher me pegou rindo, sozinha e descontrolada, não sei por que sinto culpa. ela, ao contrário de mim, não ri nem de nervoso, se aproxima um pouco, coloca a criança no chão e só nesse momento percebo que é mais um bebê do que uma criança. não tenho intimidades com crianças para deduzir a idade, a mulher parece um pouco mais velha do que eu, alguns anos ou o semblante envelhecido é apenas o cansaço que chegou e ficou em seu rosto, em seu corpo, uma exaustão contínua que se acumula, que não se esgota. o que vocês estão fazendo aqui, pergunto, surpreendendo-a, estou há tanto tempo sozinha que me esqueço, esse apartamento não é meu, me sinto invadida como se fosse a minha casa, mas nada aqui me pertence.

a mulher volta para a porta, só então vejo que trouxe várias bolsas, como uma pequena mudança, você deveria ter sido avisada, falou, e me estende uma banana como se adivinhasse a minha fome, eu descasco a fruta, a devoro em duas mordidas. ela me estende um pedaço de pão, que está macio, fresco, delicioso, me observa, talvez um leve sorriso tenha despontado em seus lábios. passei hoje cedo na padaria, antes de vir para cá, e a imagem dessa moça entrando na padaria e comprando pão me feriu como uma liberdade tão grande, vão trazer mais quando tudo acabar, anunciou, eu não digo que há dias só bebo café, há dias não suporto mais abrir pacotes e latas, a banana e o pão me salvaram como água fresca. a mulher dá um pequeno pedaço para a criança, é uma menina, me diz, eu não saberia, o cabelo curto e a blusa maior do que o seu tamanho, a menina come o pão, mastiga quase igual a mim, a massa, o gosto, uma grande novidade, que fome hein, a menina come fazendo barulho, acho muita graça, rio, dessa vez não rio sozinha, eu e a criança rimos. então a menina se senta desajeitadamente e vejo a sua fralda, um bebê de fralda, somente naquele momento tomo consciência, todo o riso se esvai, por que você trouxe a sua filha, o meu corpo todo reage, uma repulsa, não tinha ninguém com quem deixar a criança? a mulher responde com desprezo, talvez esperasse isso de mim, talvez tivesse sido avisada, não é minha filha, não, não tinha com quem deixar, a mãe está presa, o pai no exílio, a família tem medo, vamos cuidar dela até o pai mandar buscar, alguém vai vir, um dia, com uma carta do pai, até lá é responsabilidade nossa, não não digo logo, você que trouxe, não tenho nada a ver com isso, fralda, cocô, xixi, bebê, não entrei na organização para isso, só me faltava essa, depois de tudo, não tenho obrigação de cuidar de ninguém, não vou cuidar de ninguém, não quero cuidar de ninguém.

a mulher não insiste, pega a menina no colo, algumas bolsas, vai para o quarto e fecha a porta. eu não durmo mesmo aí, falo, a voz alta, não me importo, não durmo em lugar nenhum, não me importo, e de repente o som da minha voz é coberto por outro, o choro da criança, o berro, longo, descontrolado, tapo os ouvidos, o meu corpo treme, sinto o impacto do choro na minha pele, uma força que pressiona, quer rasgar a superfície, entrar, fecho os olhos, me recuso, não me importo, grito sem ser ouvida, estou sozinha de novo, não me importo, não me importo.

A gente trepava, eu estava longe, pela primeira vez, muito longe, mal sentia o corpo de Melina, a umidade, o cheiro, o gosto, onde eu estava?

Uma parte trepava, os quadris, as mãos, em movimentos intensos, repetitivos, outra parte se esvaía, esquecida, atravessava distâncias e mares, chegava a um ponto vazio e inerte, onde eu estava ali também?

As duas partes, era a angústia, não estavam em lugar algum, as duas partes, eu suava, buscava os olhos, a boca de Melina, beijava com força, sugava os lábios, a saliva, pedia para que me olhasse, me mordesse, eu queria sentir, queria voltar, não queria que ela notasse, o que eu diria, nada, algo se partiu, agora penso que algo se partiu, como se os meus sentidos tivessem se desmembrado, o olfato do meu nariz, o paladar da minha boca, a visão dos meus olhos, as sensações da minha pele tivessem se desdobrado do meu corpo, visitado outros lugares, sensações, cheiros e imagens, era como se eu não pudesse estar ali totalmente, sentir tudo que eu sentia, me ocupar inteiramente daquele espaço, o meu corpo dentro do corpo de Melina, agora penso, talvez tenha sido uma necessidade fisiológica, eu me partir, eu pela metade, as moléculas, dna e sentidos, as células e o fluxo sanguíneo, como se todo o meu organismo antecipasse o que aconteceria depois, como se fosse um aviso, ou uma resposta, um reflexo atrasado do que acabara de acontecer, os meus pés dormentes, como se não estivessem mais ali, como se tivessem se estendido, nunca mais conseguiria pisar no chão sem dor, pensei, como conseguia continuar me movendo, buscando Melina, ausente, e como o corpo pode continuar, uma árvore que afunda sem raízes, e ainda assim, meus pés, a sensação de galhos, as fisgadas, como continuei, agora penso, as extremidades perdidas, a certeza de ter esquecido o que é o limite da pele, aquela fronteira que nos guarda, senti de repente o mundo tão menor do que o meu corpo, vi de repente em mim mais distâncias, tanto a andar, e ainda assim continuei, e ainda assim ouvi o gemido longo de Melina, o seu gozo era a prova, ela nada havia percebido, ou uma parte dela havia e ainda assim continuou, os dois imersos na ausência, essa espécie de esquecimento, mas depois que gozei e nos abraçamos tudo ficou diferente, digo, estávamos diferentes, algo se partiu, agora penso que algo se partiu, como se nossos corpos reagissem primeiro do que os pensamentos ao que havia acontecido antes e depois.

Todas as coisas que têm acontecido me levaram a procurar o meu pai, Melina disse, era como se eu precisasse voltar para algum começo. A minha mãe não está mais aqui, e eu precisava de uma sensação concreta de início. Encontrar os meus pais de agora não era o que eu buscava, mas os pais da infância, os pais de antes das doenças, de um tempo imemorial. Agora o meu pai é um homem encurvado e fino, um homem que não reconheço. Ele não se olha mais no espelho, disse na última vez que estive lá, pediu para tirarem o espelho do banheiro e do quarto, me contou. Se fez isso, é porque ainda há um resquício de lembrança, ninguém se esquece totalmente, vejo em seu rosto os raios de memória, o semblante se ergue, ilumina, e logo depois, como se o sol tivesse se posto, a cara murcha, o esquecimento.

É por pena que não vou vê-lo toda semana. Se a minha mãe estivesse viva diria, pena coisa nenhuma, é falta de amor, que nem comigo, no hospital, só chegava para dizer, estou cansada, ocupada, isso aquilo e sumia, só chegava para partir, você vai sempre embora, que nem o seu pai. Nem mesmo quando ela me chamou para conversar, a agulha do soro arroxeando a sua pele, as veias feridas, nem assim eu fiquei. Filha, foi o seu chamado. Ela nunca me chamava dessa forma, então era como apelar a algo maior do que nós duas, um elo que mesmo se quiséssemos nunca poderíamos romper. Falta de amor, ela dizia, quando eu saía sem olhar para trás.

Desde menina sou acusada dessa falha. Será que não há nada que faça essa garota mudar, os meus pais se perguntavam, angustiados porque eu deixava as bonecas pegarem chuva, sol, vento, rasgar, quebrar, morrer, e quando morriam eu não chorava nem fazia velório e enterro no fundo do quintal, eu jogava no lixo. Para combater o meu defeito me deram o Pirulito, você é a dona dele, você vai cuidar direitinho, dar banho, comida, levar para passear, ouviu? Eu me esforçava. Adorava o Pirulito, mas passava a hora do almoço e esquecia de dar comida, às vezes era vencida pela preguiça de levar o cachorro para passear. O Pirulito era fiel e não sujava a casa, então ele se apertava de vontade o dia inteiro. Eu o olhava com pena, mas a preguiça era maior, não sei o que me dava, eu pensava, deve haver alguma coisa errada comigo. Os meus pais chegavam do trabalho e se deparavam com aquela cena, Pirulito ganindo de aperto, eu vendo televisão. O meu pai pegava a coleira, a minha mãe me erguia pelo braço, me enxotavam com o cachorro para a rua. Eu ia até de boa vontade, adorava o Pirulito de paixão.

Um dia, Pirulito morreu, mas eu não tive culpa. Você nunca cuidou dele, minha mãe disse após o breve enterro. Saí do cemitério de animais assombrada com a pergunta do meu pai, quanto tempo um pinto ia durar nas suas mãos, minha filha? O Pirulito não morreu porque apertava o xixi, porque eu esquecia a comida!, me defendi como pude. Eu, a torturadora, qual monstruosidade faria com um pintinho, um ser que é a própria fragilidade, a leveza em nossas mãos. Meu peito apertou que nem a bexiga do Pirulito. Doeu enumerar as coisas que eu não fiz para o meu cachorrinho, uma criatura adorável que só me lambia e me queria bem. Pirulito ria, arfando, olhando nos olhos, esqueci de dizer. Será que ele me perdoou? Eu era criança, não sabia que grande parte do amor era aquilo que eu recusava tão distraída. Meus pais também não explicaram. Nunca me disseram que é na distração que ferimos mais. Que é contra a distração que devemos ficar atentos. Eu segui adiante, cheia de remorsos para as flores e plantas. Já adulta, morando sozinha, me esforçava para que pegassem sol, bebessem água, recebessem todos os fortificantes e adubos. Não é falta de amor, eu respondia à minha mãe que não estava mais ali, a natureza morta à minha frente, mas era como se fosse tarde e eu tivesse perdido a hora de aprender.

Já era moça, tem coisas que só se aprende cedo ou não se aprende mais, e o aprendizado se torna apenas um esforço, um dos meus pais me disse, não lembro quem, pode ter sido os dois. Não tive mais plantas nem flores em casa, não queria vê-las perdendo a vida e a cor. Plantas de plástico, flores artificiais, aquelas cores brilhantes e pegajosas, eu me recusava.

Todas as coisas que têm acontecido. Melina diz, não tenho sido a mesma, e para confirmar que não tem sido a mesma ela conta que vomita todas as manhãs, como se ao abrir os olhos sentisse enjoo de tudo. Sinto tonteiras durante o dia, como se a gravidade me puxasse para a terra e quisesse sussurrar em meus ouvidos. Pego a minha câmera e não consigo mais fotografar, desde que me deparei com aquela imagem, desde que a segurei, quando vou enquadrar algo, capturar um instante, as minhas mãos queimam, como se elas não suportassem, como se me alertassem, há mais, não basta uma moldura, uma luz, um objeto, uma pessoa, a dor nas minhas mãos é imensa, como se gritassem, há volume, profundidade, substância, sangue, há mais, e não apenas esse espaço liso, plano, onde se tenta achatar, sobrepor o mundo. Eu quase me ofendo, eu sempre soube que há mais, sempre busquei esse mais, nunca me contentei com o que vejo, e agora mais ainda, mas se as minhas mãos queimam, se o meu corpo fala, é instinto, talvez elas precisem de outros movimentos, algo que não envolva os meus olhos, a visão das coisas, não, não quero mais ver as coisas. Melina me pergunta, você disse que escreve para desdobrar a imagem em sua mente, a imagem da foto, e eu, o que faço? O que faço para desdobrar o antes e o depois? Até posso imaginar, como quando criança, um congelamento do tempo e espaço, posso fazer uma sequência, mas logo perco o foco, os meus olhos queimam como as minhas mãos, se ressecam, se recusam, tudo se perde, se extingue, sem sentido, como o negativo, aquela fileira inversa de nós mesmos, aquela sombra dos acontecimentos, tudo se torna impreciso, o contrário do que está diante dos meus olhos, mas o contrário também é plano, não tem profundidade nenhuma. Até tentei, como você, escrever, mas todas as frases soam pequenas, inapropriadas, nada parece interessante, nada parece importante, a minha fotografia, a sua escrita, me despertam certa pena, para que tanto. Talvez seja o enjoo ao despertar, essa forma de recomeço, colocar para fora o que está por dentro, um expurgo diário, contínuo. Talvez seja a tonteira, o corpo em desequilíbrio, a falta do eixo, esse alarme incessante. A cada dia, me desapego de coisas que antes pareciam essenciais, é como se tudo se tornasse superfície e eu perguntasse a essa parte externa e visível o que está abaixo, o que está no fundo, o que está além. É como se todo o meu organismo chegasse a um impasse, precisasse se transformar em outra coisa, e estar grávida pareceu uma consequência natural da metamorfose. O susto que sempre imaginei que sentiria não chegou a abrir a boca, tudo por dentro se revirou de outra forma, não era na criança e na maternidade que pensava, não era em nada concreto, era nesse avesso que chegava inesperadamente.

Tenho lido as cartas de Olívia antes de dormir, deitado na cama. Imagino como seria a voz da minha irmã lendo o que escreveu, antes de colocar o papel no envelope e enviar correio afora. Talvez seja suave, grave, eu não sabia. Olívia era uma pessoa sem rosto nem voz. O seu corpo magricela ou gorducho de menina, as implicâncias dos primeiros anos, os castigos juntos, as brigas, os cabelos puxados, as pazes que nunca nos forçaram a fazer, os ódios e afagos que nos fariam irmãos além da metade do sangue. Essa genética dividida, um pai que não se incomodou em reunir as suas células espalhadas por aí. Como se ama uma irmã sem a infância, sem a adolescência como testemunhas? Olívia era uma carta que chegava às minhas mãos.

Agora escrevo tentando adivinhar como você me lê, os traços do seu rosto, ela me diz. Será que temos algo em comum, será que nos reconheceríamos se nos encontrássemos por acaso? Outro dia, na rua, segui um homem até a casa dele, deduzi que fosse dele porque ele entrou pelo portão com jeito de quem chega. É um jeito diferente de quem está de passagem. Não sei se você pensa nessas coisas, não sei nada de você. Eu segui o homem porque ele tinha o queixo do nosso pai, o mesmo rosto quadrado, os lábios grossos, os cabelos pretos, as pernas compridas. Os passos largos quase me fizeram correr. Não há uma explicação psicológica. Não estava correndo atrás do meu pai, nem todas as filhas são assim. Talvez fosse apenas uma força ancestral, algo magnético. Esqueci assim que cheguei na minha própria casa. As crianças me ocuparam o resto do dia. Tenho três filhos.

Sou filha única, casada, sei que vou abandonar o mestrado em História, como abandonei a dieta, a ginástica e o curso de inglês, parece que tenho sina para isso, tudo que ameaça me definir numa forma compacta ou me levar para longe, abandono.

Antes de pegar o avião, Olívia conta que gostou de andar pelas ruas de Lisboa, tão diferente do Rio. Aí se derruba e se conserva, mais se derruba do que conserva, parece que o que sobrevive é por pura sorte. Aqui, não, tem as grandes construções, o início do início. Ela queria me mostrar a arquitetura em Portugal, você anda dentro da História a todo instante. Não há como fugir dessa sensação, de que somos uma continuidade do tempo. Pensei em mim e Melina andando pelo Centro da cidade, por Copacabana, pensei em tudo que fica e que vai, grandes feitos eternizados em monumentos e placas informativas, grandes feitos apagados até virarem pó, os sulcos no rosto do amigo da minha mãe, procurei as vidas e mortes nas rugas profundas, procurei a mim mesmo ali, eu sou o que restou. Descemos as escadas daquele prédio em Copacabana como se entrássemos num buraco, escavássemos, encontrássemos vestígios. Agora aquela rua em Copacabana não é mais uma rua em Copacabana, naquele prédio se esconderam meus pais, naquele apartamento, onde mal pude andar, respirar, eles moraram, os seus corpos, as suas existências, mas apenas aos nossos olhos essas histórias vão se erguendo, o invisível ressoa sob os móveis pesados e os quadros berrantes.

Olívia me conta que a sua avó paterna era portuguesa, se mudou para o Brasil criança com a família. Cresceu, noivou, casou com um mestiço, a quem amava, mas fingia não amar, por orgulho de raça. Para casar com "o mulato", como a família o chamava, foi preciso romper com os pais, os avós e todos os antepassados indignados. A minha avó brigou com a família para casar com o homem que amava, mas não aceitava o amor por esse homem. A história dos meus avós está fincada na Carta de Pero Vaz, no Cais do Valongo, na Confeitaria Colombo. Eu não vim para cá com essa consciência,

Olívia escreveu, que estendia braços e pernas de um continente a outro, dava laço na corda partida. Fiz o caminho de volta do meu pai, que nasceu branco sem vestígios do sangue paterno, mas a verdade sempre aparece, e eu sou acastanhada, eu sou mestiça, lembro o meu avô. Nesse caminho de volta, parentes que nunca vou conhecer cruzam as ruas a todo momento, mas dentro de uma bifurcação maluca não encontrei nenhum deles, encontrei você, dentro de um envelope velho e amarelo.

Olívia me pergunta, eu respondo que sou branco, não sabia da existência do meu pai e muito menos da sua cor, ainda menos do meu avô mestiço e da avó portuguesa. Sou branco como leite talhado, em mim a verdade não apareceu. Olívia volta ao Rio trazendo também os meus ancestrais, escrevo para ela, talvez seja o início de um laço, talvez esteja começando a amar essa irmã. Olívia, é como se você trouxesse todas as pessoas dessa formação familiar, como se fossem todos uma única pessoa em seu corpo. Desconfio, ela disse, que nos desdobramos e nos multiplicamos em outros pelos séculos, mas seremos sempre aquela primeira célula bruta, o primeiro passo em terra virgem, o primeiro braço erguido para sedimentar a pedra na primeira construção, a primeira mão que mata, o primeiro sexo que perfura, o primeiro corpo que cai, o primeiro sangue derramado. O que quero dizer com isso, não sei, talvez que somos incapazes de mudar. A História comprova nossa incapacidade, mas para contradizer a História, eu tive três filhos. Com três, vai que a célula sofre uma mutação, vai que há uma esperança.

Eu vou ser pai, escrevi para Olívia. Por que escrevi, a essa altura ela já estava no Rio, o endereço em Portugal inútil, o endereço carioca desconhecido, ela só me passou o número do celular. Não telefono, escrevo: eu vou ser pai, sem ter endereço de envio. Escrevo para ela como se precisasse dar a notícia a mim mesmo, o que fazer com essa notícia, Melina a sente em seu corpo, no útero, nos seios, eu sinto onde, em qual lugar no corpo o homem materializa a gestação, quero sentir, aperto minha barriga, meu pau, meu saco, não é possível tudo estar como antes, eu não sou o mesmo, será somente no sentimento a transformação, logo nós, os homens, os lógicos, temos nesta hora apenas o sentimento para nos apoiar. Quero dizer que tenho medo, não disse à Olívia, mas há o medo, seria um presságio, não disse à Melina, mas a matemática me assusta, aquela trepada ausente, aquela entre a foto da mulher morta e da carta de Olívia, aquela, que foi uma sobrevida, essa trepada teve forças para conceber? É dessa ausência que nascerá o meu filho, a minha filha?

Lembro que no documentário um rapaz contava ao jornalista como tinha sido pego numa emboscada e levado à prisão, Melina disse, como tinha sido difícil para ele ficar longe da mulher e dos filhos. Na época, ele estava na clandestinidade há pouco tempo. Ainda não tinha se acostumado com a mudança de nome, endereço, ocupação. Não tinha ainda convencido os filhos a chamá-lo de tio, e não de pai. Convencera com lágrimas a mulher a calar o seu verdadeiro nome e chamá-lo de Alberto. Somente Alberto. Mesmo quando estivessem sozinhos. Quando transavam antes de dormir, ela sussurrava Henrique, Henrique, e havia raiva em sua voz, uma raiva misturada com amor. O rapaz falava com o jornalista, a voz pausada, firme, como se carregasse um grande peso com um controle surpreendente. Cada passo medido e estudado, a carga distribuída pelos ossos e músculos. Sempre invejei pessoas com essa capacidade, de se segurar por dentro. Em vez da voz trêmula, do choro, do corpo buscar apoio em outro corpo, cadeira, mesa ou parede, aquela voz autossustentada, aquele olhar estranho, como se tudo aquilo, a família longe, o nome perdido, a violência, as manchas roxas que ainda tomavam seus braços, abdômen e costas, pertencessem a outro mundo e a outra pessoa. Então, uma moça se aproximou desse rapaz. Não falaram nada um para o outro. Ela apenas se aproximou.

O rapaz parou de falar com o jornalista, olhou para a moça. O jornalista fez alguma pergunta, e ele se voltou, como se os sons produzidos pelo homem com o microfone fossem um ruído confuso e estridente. Abriu a boca para responder. A voz ainda firme como antes, tudo ainda como antes. Dava para perceber a força e a resistência dos ossos e músculos, a imensa carga sustentada. Então, de repente, como se os ossos repentinamente tivessem se quebrado, os músculos se esgarçado e perdido a firmeza, ele chorou. De repente mesmo, sem nenhum aviso anterior. O rapaz caiu em prantos. É exato o verbo, porque não se pode pensar em outra imagem além da queda. O rapaz despencava. De um instante para o outro, sem o aviso de nenhum tremor.

Apesar do tema da reportagem, o jornalista não esperava aquilo. O rapaz tentava continuar, em meio às lágrimas, mas a voz entrecortada não tinha força para chegar ao ponto final. A estrutura da frase, a gramática, todos os elementos comprometidos. A moça ao lado do rapaz o abraçou, chorando também. Depois eu soube, estiveram juntos na prisão. Em alas diferentes, mas próximos o suficiente para se ouvirem. Aquela moça tinha escutado o rapaz ser torturado. Ela ouviu quando ameaçaram a sua família. A mulher e os dois filhos pequenos. Uma vez, disseram que haviam pegado os filhos, que os dois iam ser criados por outras pessoas, que ele nunca mais veria os meninos. A moça ouviu o desespero do rapaz, o pavor que o fez dizer endereços e nomes. Entregar o que havia prometido esconder. A moça estava lá, ouvindo.

Era a mesma história. O rapaz contava para o jornalista a mesma história que continuou a contar na presença dessa moça. Mas tudo havia mudado com a sua aproximação. Melina tinha o rosto tenso ao falar, *tudo havia mudado*. Já tinha contado isso para outras pessoas, sem aquela tensão no maxilar. O fato de ser eu alterava o que contava, o jeito e os sentimentos ao contar. O fato de ser eu o ouvinte e não outra pessoa. Essa necessidade de nos falar e nos ouvir. Tive vontade de dizer, a gente é, um para o outro, essa moça que se aproxima. Essa moça que ouviu tudo, que também estava lá.

Fui visitar o meu pai na casa de repouso, Melina disse, onde ele repousa os ossos finos, o cansaço da doença, a memória escassa. Já me acusaram de crueldade, mas lá ele é muito bem-cuidado, come, bebe, dorme, sonha como na minha casa não faria. Eu não teria nada a oferecer além de paredes. Antes, ia à casa dele quase todos os dias, providenciava comida, roupas e remédios para que não precisasse sair. Ele não queria mais ir à rua desde que se perdeu um dia entre o seu prédio e a farmácia da esquina. Homem forte, firme, não admitiu olhar para os lados e não saber para onde ir, o que vão dizer?

Boneca, ele me chamou quando cheguei, a confirmação que me reconhecia. Hoje é o dia do reconhecimento, pensei, papai não está ausente, e eu estou aqui. Peguei as suas mãos, o suor, as veias saltadas. O tempo passou para o meu pai, aquele homem ágil, sempre de um lugar para o outro. Eu nunca sabia onde ele estava, no trabalho, divagava minha mãe, a baforada cinza empesteando o ar. Divagava? Ou nublava tudo? O tempo passou para a gente, o senhor vai ser avô, apertei levemente as veias azuis. Ele sorriu, estou grávida, papai, ele continuou sorrindo, era como se de repente tivesse se levantado, ou como se eu tivesse sumido, o olhar, duas esferas inócuas, eu não sabia mais onde ele estava.

A enfermeira me contou que, um dia, meu pai acordou muito zangado, vociferando, quem é aquele homem no espelho. Meu pai tinha orgulho dos músculos, o peitoral da natação, as coxas do polichinelo, o muque das flexões. O espelho grande ficava bem em frente à cama, ele se levantou, as articulações doeram, estalaram, ele olhou aquele velho esquálido e não acreditou. Chamou a enfermeira para tirar o velho dali, ela levou embora o espelho grande e também o pequeno do banheiro. Obedeceu achando graça, mas o caso era sério. Ofendido, papai descreveu os seus atributos físicos. Dobrou os braços para que a moça visse o montinho do bíceps, mas o tapinha risonho que ganhou nas costas o enfureceu. Me pediu que fosse em seu apartamento e pegasse as suas fotos na praia, na piscina, na ginástica. Queria provas irrefutáveis de sua força varonil. Desde que foi para a casa de repouso, o apartamento dele recebe faxina e ar fresco uma vez por mês. Ele não quis vender, não quis mudar nada, eu que fizesse as mudanças, quando o apartamento fosse a minha herança, quando fosse a minha vez. Eu me dispus a agradar papai invadida pela memória. As fotos coloridas desbotadas, as calças de boca larga, camisetas justas de botão, o short largo, vasculhei as gavetas, as caixas com a redescoberta de sua juventude, seu magnetismo. Eu o adorava, era tão grave e bonito. Mas para mim não era do físico que vinha a sua beleza, era do ar pensativo e melancólico. As fotos que encontrei confirmavam a força dos tríceps, bíceps, peito e pernas. As fotos, guardadas dentro de um plástico, grudavam uma na outra, como se após tanto tempo não quisessem se separar. Foi ao desgrudar as fotos dos músculos coloridos e desbotados do meu pai que encontrei: a foto em preto e branco da moça morta.

Voltei à casa de repouso com as fotos do meu pai musculoso na mão e a outra guardada na bolsa. Esse dia foi o último dia que estive lá, só voltei algum tempo depois para contar da gravidez. A enfermeira se divertia com papai enquanto eu pensava na foto em minha bolsa. Poderia não ser o que eu pensava, mas havia uma data no verso, os anos Médici. Se não era o que eu pensava, o que poderia ser, não era uma foto artística, um filme de terror. A enfermeira ajeitava papai nos travesseiros, trazia lanche, biscoito, queijo branco, geleia, uma bolacha cream cracker vinda da minha infância, que nunca mais comi. Os meus pais viveram nos anos 70 alheios aos porões. Lembro, em uma conversa, eles usando a palavra terrorista, comentando os assaltos ao banco, os sequestros, essa gente muito perigosa. Foi o máximo que ouvi, o assunto não existia em nossa casa. Mas, se eram alheios aos porões, ao que não eram alheios?

Sentei na cama ao lado do meu pai. Disse, fiquei com saudades da infância, parece outra vida. Ele me olhou daquele jeito, não sabia se tinha entendido o que falei ou não, apenas parte, uma palavra ou outra, pescadas em meio ao escuro. Nesse dia, ele ainda tinha alguma lucidez que se alternava com alheamentos e delírios, agora, ele tem os delírios e alheamentos que se alternam com alguma lucidez. O senhor vai gostar de ser avô?, perguntei há pouco, e meu pai respondeu com a repetição, avô, como se não soubesse o que significava, a palavra era tudo e nada, uma pasta em sua boca. Espera a barriga crescer, quem sabe ele lembra, a enfermeira disse como um consolo à filha que dali para a frente teria que repetir a notícia estou grávida muitas vezes, estou grávida, grávida, como a primeira vez.

A enfermeira tinha a esperança de que a minha barriga, quando ficasse redonda e pesada, fosse capaz de ligar a luz no interruptor pifado na mente do meu pai. Eu tive a mesma esperança quando tirei a foto da moça morta da bolsa. Olha, papai, achei com as outras fotos. Papai. Olha. Por favor. Olha.

o dia mal começa e elas já estão na cozinha, criança sente muita fome, a mulher me explica, verifico o armário, grande parte do que trouxeram já foi embora, eles sabem, a mulher me tranquiliza enquanto amassa a última banana, vão trazer mais. a menina precisa de fruta, não há mais fruta, ela não come tudo ainda, daqui a pouco só vai ter salsicha, falo, isso é porcaria, é preciso respeitar o organismo da criança, ela argumenta, quase rio, há muito que perdemos isso, de evitar porcarias, de respeitar organismos, a mulher me olha diferente, eu sei que você foi presa, há carinho na sua voz, torturada, agora ela usa comigo o mesmo tom que fala com a menina, eu escuto muda, uma criança, foi o que me tornei para ela nesse instante, só falta agora me dar uma banana, penso, me afasto, não lembro logo que foi a primeira coisa que ela fez ao chegar, lembro agora, um segundo depois, ela me deu uma banana, desde o início sou uma criança para ela, mas eu sei o que sou, só eu sei, não preciso contar, não preciso nada, só o meu silêncio de volta, é o que preciso. me afasto até o canto extremo da sala, perto da janela, abro duas frestas da persiana, de cima a vida parece tranquila lá embaixo, me espanto sempre com as pessoas andando pela rua como se fosse a coisa mais normal, como é possível esse absurdo, pessoas voltando para casa com sacolas de compra, casais de mãos dadas, crianças brincando de polícia e ladrão, de esconde-esconde, como é possível, tenho vontade de me virar para a mulher, me virar para a criança, dizer vamos embora, o que fazemos aqui, não há perigo nenhum, o perigo está na nossa cabeça, podemos ir ao mercado, podemos namorar e brincar de esconder, somos bandidos ou polícia, vamos prender e ser presos, amarrar nossos pulsos com barbantes como se fossem algemas, erguer um pedaço de madeira como se fosse uma arma, e depois sentar na calçada felizes e cansados da brincadeira, quero dizer à mulher e à criança, olhem lá fora, não precisamos ficar aqui, podemos sair, mas algo me diz que não podemos, sinto na minha respiração, no meu corpo, no meu medo.

nesse lugar perto da janela, criei o meu refúgio, elas quase não vêm para cá, no começo, a menina às vezes escapava, se aproximava de mim com passinhos bambos como se fosse bem-vinda, a mulher vinha logo atrás, a cara fechada, para pegá-la, e a criança compreendeu, de alguma forma, eu não quero papo, não quero nada. mais escuto do que vejo a rotina das duas, a mulher troca fralda, lava fralda, estende fralda, a menina atrás dela como um cachorrinho, quer brincar, quer brigar, quer colo, a mulher dá mamadeira, dá papinha, dá banho, nina, quando a criança dorme ela vai ao banheiro, escova os dentes, quando a criança dorme ela abre os armários, constata a cada dia que tudo está acabando mais rápido do que imaginaram, eles vão trazer comida, me garante nas poucas vezes que nos falamos, não é só a comida, o sabão, o fósforo, a pasta, todo o resto que mantém uma casa e precisa ser reposto, eles prometeram, vão voltar. eu não digo nada, o companheiro que vinha sempre aqui trazer os mantimentos não apareceu mais, não conheço mais ninguém, quando elas chegaram estava a ponto de achar que haviam esquecido de mim, em algum lugar, o caderno com o registro do meu nome, pseudônimo, endereço, deve ter sido perdido, rasgado, queimado, basta isso para eu desaparecer.

escuto a voz da criança e da mulher na cozinha, a mulher tenta adivinhar o que a menina fala, um emaranhado de sons sem sentido, água, de repente a palavra emerge em meio à confusão, não tão límpida, ábua, é o que o som diz, mas a mulher entende, eu do meu refúgio entendo, a menina está com sede. a mulher lhe dá água num copo, a menina não tem força ainda para segurar direito, o copo cai, quebra, a mulher vai pegar os cacos de vidro, se corta, a mulher começa a chorar, a menina começa a chorar, a mulher está exausta, pouco dorme, pouco come, está gorda, está imunda, tem banana pendurada no cabelo, os fios emaranhados não conheceram ainda o pente que deixo no banheiro, desconfio de ser ela mesma a mãe do bebê, a barriga mole, os seios grandes, pode estar mentindo, como eu vou saber a verdade, só tenho o que ela me diz, ela entrou com a chave da porta, está obedecendo ordens, disse, da organização, citou nomes que eu conheço, outros que nunca ouvi falar, tudo mudou, explicou, você está aqui há muito tempo, a gente se ferrou, ela ia dizer se fodeu, mas mudou as letras na ponta da língua, na beira do abismo, perguntei por amigos, companheiros, companheiras, ela respondeu com as palavras sumiu, morreu, fugiu, como se não existissem outras, eu me senti fraca, tanta gente boa, tanta gente, aqui olho para o teto, evito pensar nessas coisas, evito lembrar, a mulher engole o choro, eu desconfio desde que chegou, ela tem uma história, eu não quero ouvir, será que mente, por que mentiria, eu não me importo, desde que vá embora logo com a menina, me deixe aqui, com as minhas paredes, meu teto, meu silêncio.

da sala escuto os soluços da mulher na cozinha, ela chegou no fundo de algum poço, eu conheço o som, um ganido, vem lá de dentro, um espasmo entre as vísceras, algo se contorce, algo incontrolável, algo que, me assusto, a mulher aparece na minha frente, os dedos sangrando, você não vem me ajudar, a voz abatida pelo choro, o retorcer de dentro, você vai ficar aí, para ela o limite foi o copo quebrado, os dedos feridos, poderia ter sido qualquer coisa, ela deixou a criança na cozinha entre os cacos de vidros, por instinto quando vejo não estou mais na sala, estou na cozinha, a menina não chora mais, brinca entre os pedacinhos do copo, para ela são pequenas estrelas, reflexos de alguma luz, tiro um caco de vidro da mãozinha, não chegou a machucar, pego a menina no colo, olho em volta e vejo que o estrago foi maior, duas latas de leite derrubadas no chão, o pó espalhado, se misturando com o vidro. o que aconteceu, pergunto, a mulher, de joelhos, junta com as mãos o pó, forma pequenos montes, são as últimas, ela fala com desespero, para, não adianta, o pó está com vidro, as suas mãos com sangue, me surpreendo ter que dizer o óbvio, o leite já era, a mulher chora cada vez mais alto, acabou, acabou, ela está lá, no fundo do poço, a menina repete, acabô, acabô, como se fosse o final de uma brincadeira, a mulher não suporta aquilo, vejo pela expressão do seu rosto que algo realmente chegou ao fim, ela pega um caco de vidro e enterra no próprio pulso, um gesto tão rápido bruto que demoro a identificar, o sangue jorra e então grito, a criança se assusta, a mulher repete o gesto, como se bastasse aquilo para tudo acabar, para ela desaparecer, eu me abaixo com a criança no colo, me equilibro não sei como, não sei como seguro com uma mão a menina com a outra o pulso da mulher, ela tenta se desvencilhar, eu perco o equilíbrio, caio, a minha queda é a queda de nós três, formamos um bolo entre os vidros e o sangue, não sabemos mais quem é quem, eu e a menina também sangramos.

A minha mãe me deu a minha primeira máquina fotográfica, Melina disse. Eu me lembrava da história que ela havia me contado. A menina fascinada com a marca de leite na caneca. O flagrante do olhar distante e triste da mãe. O pai dobrado em si mesmo na calçada perto de casa. O que houve? Eu nunca entendi, ela falou. Eu guardei a máquina por algum tempo. A aventura de fotografar tinha me custado duas desilusões, acho que tive medo do que mais a câmera iria me mostrar, se eu continuasse. Mas eu a olhava todos os dias, dentro do meu armário, perto do material da escola. E também todos os dias eu imaginava como seria bom fotografar aquela folha vermelha, a pata do gato que tinha me arranhado, o arranhão na minha pele, um sorriso inesperado do meu pai, o abraço quente da minha mãe, os seus cabelos caindo no meu rosto, o meu rosto feliz, o meu rosto triste, como as máscaras do teatro, eu pensava muito nessas coisas, de felicidade e tristeza, o que fazia a boca da máscara se erguer ou cair.

Um dia, não resisti, voltei a tirar as fotos, só que escondida. Eu não tinha pensado no que ia fazer quando o filme acabasse, quando chegasse a hora de revelar. Eu obedecia ao desejo de capturar aqueles instantes. De alguma forma, as fotos se revelavam antes em minha cabeça, eu via as imagens se formando com toda a precariedade analógica, as cores opacas, os pingos de luz. Para mim, eram perfeitas, não sabia que era possível mais nitidez, ainda prefiro hoje aquelas fotos, com as suas manchas e nódoas, ainda prefiro a imperfeição, o que ela esconde, ao brilho revelado.

A minha mãe costumava chorar no banheiro. O rosto vermelho, os olhos inchados. A sua fisionomia transformada. Ela se trancava, eu escutava os soluços, o que ela não conseguia conter. Os meus pais costumavam discutir em voz baixa no quarto. Às vezes, antes das discussões, eu via, do corredor, a minha mãe fechar a porta cuidadosamente, a imagem deles desaparecendo aos poucos. Já a porta do banheiro sofria algum baque quando chegava a vez de ser trancada. Um estalo seco, a maçaneta virada com pressão. O choro com a torneira aberta para disfarçar os soluços confirmava a briga, uma suspeita minha desde o início, o que afinal tanto faziam trancados? Eu fotografei uma vez a porta do quarto, dois segundos após eles terem entrado, um segundo depois de se fechar. Tenho essa imagem até hoje, a porta de madeira imóvel, ainda cheia de calor.

Eu escutava os soluços da minha mãe e depois o silêncio. O silêncio que era feito dela, que só ela poderia fazer. Um pouco depois, a porta do banheiro se abria e ela vinha, o batom, o rímel, o blush, o corretor, a base. A maquiagem sobre o inchaço. Camadas e camadas de pó compacto sobre as olheiras. O roxo insistente, a fundura descoberta. O vermelho grosso nos lábios, os vincos para baixo, os cílios para cima, os olhos arregalados. O rosto, uma máscara de teatro. Muitas vezes, desejei abraçá-la, mas entre o desejo e o gesto tinha um mundo, uma impossibilidade. Acho que fiz isso, ao menos uma vez. Ela se deixou envolver, surpresa. Se eu tivesse tirado uma foto desse momento, teria visto que o seu olhar não estava mais distante, estava ali. Em seguida, o meu pai chegou do trabalho e se deparou com duas malas na porta. Era mamãe que o expulsava. Estava cansada de chorar e de se maquiar. Anos depois, no hospital, ela me chamou para uma conversa. Eu não sabia que ela ia morrer na manhã seguinte, fui embora como se houvesse para nós outros dias. Fui embora como se não houvesse coisas que eu precisava saber.

Antes de sair de casa, o meu pai entrou no meu quarto. Eu, que não tinha ideia das malas na porta, guardava a máquina fotográfica no armário. Ele olhou para as minhas mãos como se eu carregasse um bicho peçonhento, arrancou a máquina entre meus dedos (ficaram doloridos) e com um golpe só a espatifou no chão.

Melina saiu da casa de repouso com a foto da moça morta na bolsa, guardada, escondida. Voltou ao apartamento do pai e fez uma busca por mais fotografias, mas não quis ficar ali, para onde ela se mudou quando a mãe morreu, de onde saiu para morar sozinha, onde viveu tantos anos sem entender o que havia acontecido. Uma adolescente não tem que entender tudo, mas também não é como uma criança. Que os pais se tornaram dois estranhos com o passar dos anos, ela percebeu, mas houve uma linha divisória em algum ano, qual, um fio que cortou o estado anterior das coisas, o estado em que a angústia era aceita e incorporada à rotina, é com angústia que acordamos, escovamos os dentes e tomamos café, vamos ao cinema, rimos e vivemos, mas de repente passa um fio que corta a nossa cabeça e faz a gente pensar. Até encontrar a foto, Melina não sabia que fio era esse, só sabia que tinha cortado os três, três cabeças cortadas no chão.

Depois da separação, os pais mal se falavam. Dias antes de morrer, a mãe chamou o ex-marido no hospital. Melina me contou, como se visse a cena à sua frente. A sensação de assistir a tudo através de um vidro, de nunca alcançar o essencial. Num canto do quarto, a adolescente, a mãe cercada de medicamentos, soro, o pai, as vozes baixas, podiam ao menos ter pedido para ela sair um pouco, seria um alívio, qualquer ar fresco num hospital é um céu azul ensolarado, mas aquelas vozes abafadas traziam de volta a porta trancada do quarto, os soluços no banheiro. Você sabe que ela se corta?, a mãe perguntou, uma acusação mal disfarçada ao ex-marido, mas era assim que se falavam nos últimos anos, você não sabe que ela tem alergia a leite, você não viu que ela matou aula, você não sabe que ela só acorda com despertador, você não viu que ela ficou em recuperação, você não sabe que ela se corta?

Melina levantou a blusa, me mostrou como fazia. Um corte fino e rápido com gilete ou estilete, na altura das costelas. Não precisava nem se virar, bastava posicionar o braço como se fosse coçar os rins. A minha mãe encontrou fotos dos cortes, desconfiou que era o meu corpo, reconheceu que era o meu corpo, porque as mães nunca desconfiam.

Abri as minhas mãos sobre a pele de Melina, toquei, olhei de perto, muito perto, havia apenas uma ou duas marcas, quase imperceptíveis. Eram muitas, ela falou, não sei como sumiram. Às vezes sonho que não sumiram, que ainda estão debaixo da blusa, vermelhas e ardidas. Então, acordo de repente, não sei se feliz ou triste por não estarem mais lá. O que aconteceu? Eu não conseguia tirar as mãos das suas costelas, eu tocava a pele como se ela pudesse falar comigo. A pele de Melina adolescente, a pele de Melina agora. Eu tenho grande ternura por marcas, cicatrizes, tons diferentes de cor da pele no mesmo corpo, me pergunto se ela sabe que me comovem essas texturas, nuances. Ela, que já toquei tanto, mas há sempre esconderijos, tudo que não vemos, e eu descobria essas feridas fechadas.

Melina disse, meu pai olhou a foto da moça morta por alguns instantes, em silêncio, mas o seu olhar não tinha um foco, era como se olhasse através. Que horrível, ele balbuciou depois, e pediu água a enfermeira. Papai voltou a falar da ginástica, como o seu corpo era forte, levantava 20 quilos em cada braço, a sua memória eram os músculos. Ááguaa, balbuciava como se tivesse acabado de descobrir a palavra, Ááguaa, e bebeu o copo inteiro de um gole só, como fazem os musculosos. Papai, por que eu insistia, era como cavucar um buraco vazio, papai.

Me despedi. O beijo de tchau na testa do meu pai era triste. No dia em que contei da gravidez foi assim também. Mais ainda, porque a criança em formação beijava também o avô perdido. Me virei para ir embora, não passou pela minha cabeça naquele momento a foto, nem que a piora na saúde do meu pai pudesse estar ligada à imagem da moça morta. O seu olhar havia me dito que o assunto não fora reconhecido pela sua mente. O seu olhar havia me dito que não havia mais mente: esta, a primeira, a do campo de batalha, de ataque e defesa. Mas e a outra? A que fica lá atrás dando as ordens obscuras? A que rasteja e salta, pula do trampolim com as luzes apagadas?

Com a minha barriga no limiar da porta, escuto a voz do meu pai, rouca, sem músculos: estava nas coisas da sua mãe?

No dia em que soube da minha existência, Olívia foi a um museu onde havia objetos do século I, o número depois do zero. Ela me contou que esperou horas até o museu ficar vazio, o vigia desaparecer no corredor, para tocar a peça milenar. Eu precisava sentir em meus dedos onde tudo começou. A poeira, as moléculas sobreviventes. Naquele dia não lavei as mãos. Cheguei a coçar os olhos, sem querer, com os dedos sujos. Fiquei com medo de pegar uma doença ou algo assim. Imagine, ficar cega por causa de uma bactéria primitiva resistente ao tempo, capaz de tirar a visão, de me impedir de olhar em volta, ver o presente. Naquela noite, não dormi. Não parava de pensar que, se ficasse cega, só poderia dali em diante enxergar o passado. Todo o meu futuro seriam memórias. Mesmo assim, não lavei os olhos. Você pode achar estranho, mas não lavei. Eu respeito muito a ação do tempo. Se eu havia invadido outro século, um século que não me pertencia, ele também podia me invadir. Ele tinha o direito. Deixei o tempo e a natureza cuidarem das consequências. Por algum motivo, nada aconteceu. No dia seguinte, meus olhos estavam perfeitos. Ou eu tinha vencido o passado, ou ele tinha se rendido a mim.

Há outra possibilidade: as bactérias se acomodaram bem entre a íris e a córnea, gostaram dos meus olhos, infectaram sem danificar. Ou os danos ainda não estão visíveis fora do olho, apenas dentro, na parte sombria. Na insônia, pensei que se ficasse cega no dia da sua descoberta, é porque o nosso passado se impôs entre nós, tudo que desconhecemos. Mas não ceguei, e será com essas bactérias primitivas que vou te ver. O que isso significa? Apenas o óbvio. Irei te ver, te tocar, com essas mãos, esses olhos, essas bactérias, essa poeira do primeiro século. Que é que tem? Nada. Apenas isso, além dos nossos próprios ancestrais, há todos esses outros. A gente até quer se livrar desses primórdios selvagens, mas não consegue, as bactérias, com suas garras e gosmas, não deixam.

Olívia disse que trouxe cartas encontradas no apartamento do nosso pai. Melina riu da ironia, eu me livrei das caixas do meu avô, agora o oceano traz as do meu pai para mim. Um eterno retorno junto com as bactérias primitivas da minha irmã. Olívia me deu o número do celular, e pede o meu. Diz que só continua me escrevendo porque eu não passei o telefone, quer ouvir a minha voz e me ver. Mergulho o rosto na barriga de Melina, sinto as pulsações. Agora dormimos juntos todas as noites, enroscados, à espera, à espreita. Melina se pergunta se será melhor com o nosso bebê do que foi com o Pirulito, será que já aprendeu? Quer acreditar que sim, mas não terá aprendido só por ter ficado mais velha, terá aprendido pelo quê? Nos abraçamos. Os nossos corpos ainda se encaixam, mas a cada dia de forma diferente, uma constante adaptação. Melina sussurra, eu não o sinto ainda, é como se houvesse apenas a presença, o fantasma. Meu corpo reage ao assombramento, dói, estufa, cresce, tenho os mesmos arrepios de quem sente o vulto sem o ver. O bebê é um pintinho em meu corpo, lembra o que meu pai me disse? O bebê será a fragilidade em nossas mãos. Daremos comida, banho, levaremos para passear, cuidaremos para que não morra. Qualquer distração, a mínima que seja, pode ser um desastre. Toco as cicatrizes de Melina, na altura dos rins, a adolescente que fez esse corte, o que ela queria cortar quando se cortava? O que ela pensava com a gilete nas mãos, ou nem havia pensamento nessa dor? Não havia nada, Melina disse, ardia como álcool numa ferida aberta, machucava como arrancar um dente molenga, apenas o meu corpo reagia, como se vivesse separado de mim e eu o observasse sofrer. Ou era o contrário, eu fugia a cada corte dessa separação, a cada risco de sangue buscava exatamente o contrário de não sentir.

Olho o ventre de Melina e vejo o ventre da minha mãe, olho o ventre de minha mãe e vejo a mim mesmo, um filho lá dentro. Estou em seu ventre como uma criação antiga, o vejo se contrair, se esticar, excretar substâncias ainda líquidas, gelatinosas, que logo se tornarão espessas, sairão daquele estado sem contorno e consistência. Olho para o que deveria ser o meu corpo e vejo que ainda não me formei, existo num outro modo de existir, um modo anterior ao nascimento, um modo que ainda não pressente que ali começa a vida e ali a vida também pode acabar. É tudo tão intrínseco e delicado que me pergunto como desses fluidos pode surgir a matéria, algo tão espesso e duro como dentes e ossos. Escuto sons lá fora, algo está acontecendo, a minha mãe chora, algo muito ruim, há súplica em sua voz, há baques violentos em seu corpo, nas costas, pernas, barriga, sinto uma dor horrível crescer pela sua espinha, como se já fosse o sinal da minha saída, mas ainda não estou pronto, não sou eu que força o seu ventre a contrações tão terríveis, são outras criaturas, com intenções diferentes da minha. Sofro por ela que enlaça a barriga, tateia a circunferência à minha procura, quer adivinhar onde estou, mas ela deve saber que ainda é cedo, embora esteja em seu útero não estou em lugar nenhum, sou uma presença anterior à forma, não posso me reunir nem me dispersar, por isso, talvez, por essa situação ainda indefinida, estamos tão entranhados que sinto todos os estremecimentos que ela sente, os choques que queimam a sua pele me queimam também, as pancadas ferem a nós dois num único golpe, quase escrevo, o corpo da minha mãe também é o meu, escrevo, é com esse corpo que inicio a vida, é nesse corpo que conheço a brutalidade. Me pergunto como ela conseguiu, entre espasmos e contorções, me manter aquecido, alimentado, limpo, como as vitaminas continuaram a ser produzidas, como os sistemas se organizaram, os órgãos se formaram, enquanto fora acontecia tudo contra, tudo para eu não acontecer. Eu ouvia os seus gritos, enquanto ela implorava, silenciava, até quase morto o seu corpo, e apesar da quase morte, em seu ventre o meu corpo ganhava forma, contorno, olhos, boca, dedos, coração, sexo, começava a existir.

Pouco a pouco, trazemos as coisas de Melina para a minha casa, onde minha biblioteca vai se transformar no quarto do bebê. Não sabia que um bebê ocupa tanto espaço, os livros se amontoam na sala, tudo se desloca, tudo tem que se ajustar, abrir espaço para a criança. A gente se pega sem palavras para apresentar o mundo ao nosso filho ou filha, como explicar a nossa hesitação e demora para ele ou ela vir, para falar disso temos que falar de todas as outras coisas. Vemos nas ruas os pais apontando, olha o céu, o sol, as estrelas, olha a árvore, o au-au, a flor, e nós, o que vamos apontar. A beleza das coisas, por que em algum momento a perdemos, percebo agora que fomos nós que desbotamos para elas, que elas continuam e não desbotam nunca, sempre há quem as vê. Melina me diz que desistimos cedo demais, cansamos cedo demais, agora temos que fazer um esforço, reaprender, de alguma forma, um respirar profundo, um sopro novo, e mostrar as árvores, os cachorros e as flores bonitas antes que seja tarde.

Pergunto à Olívia como ela faz, ela que tem três filhos. Escrevo como se a minha irmã pudesse me responder, escrevo como se ainda estivesse longe.

Olho a barriga de Melina crescer, é um ovo despontando (o topo de uma montanha) abaixo do umbigo.

Primeiro, foram as paredes rochosas. Riscos profundos marcados nas rochas. Depois, determinadas pedras, aquelas de superfície mais plana, os ossos de grandes animais, de preferência, o fêmur ou o crânio, e folhas, as mais grossas e largas, li num dos livros empilhados na sala, que cedem espaço para o bebê se alojar na antiga biblioteca. Após as folhas, foi a vez do barro cozido – e escrevia-se no barro como quem desenha sulcos na terra –; em seguida, vieram os tecidos, as diversas fibras vegetais entrelaçadas, finíssimas linhas que juntas se encorpavam e formavam os papiros, arte que, devido à sua fragilidade, foi posteriormente substituída pela prática sangrenta de arrancar a pele de animais, geralmente o carneiro, o bezerro, ou a cabra – elegidos não por serem dóceis, mas por possuírem o couro mais fácil de tirar do que os felinos e as vacas, assim como a pele mais flexível e macia. Eu me pergunto, será que o André ou a Mariana vai se interessar pelo modo como a pele dos animais era lavada em água corrente após a esfolação, em seguida escorrida e polvilhada em cal e depois dobrada sobre o lado da carne para secar por várias semanas, será que a Cristina ou o Gabriel vai enxergar a feitura do pergaminho como um procedimento necessário para uma invenção que até hoje se estuda e refaz, considerando muito natural essa prática violenta como é natural todo ciclo de vida e morte, e até mesmo vendo nessa violência grande sentido e beleza, ou será que o Pedro ou a Luiza vai sentir revolta e asco da barbaridade que é esfolar um animal, esticar a sua pele ao máximo, pendurá-la em armações de madeira para receber todos os ventos, e, depois de seca, polvilhá-la com pó de cré, substância que impedia que a tinta de escrever fosse absorvida pelo pergaminho, o que garantia que o escrito permanecesse na superfície. Será que a Carol ou o Henrique vai ler essas páginas com indignação, será que vai se perguntar, quantos animais esfolados, o sangue escorrendo no chão, desenhando a terra, marcando, e para isso, se sentar e escrever, tanta crueldade e para quê, só para isso, a palavra.

fiquei imóvel por horas, não consegui me mexer depois de tudo que aconteceu, só agora pouco me mexi, levantei, só agora as ideias se organizam um pouco, as imagens formam algum sentido. a mulher e a menina dormem no quarto, estão abraçadas como mãe e filha, depois de ficar paralisada, eu fui espiar as duas, curioso como o nosso corpo desde o início sabe o que é o abraço, mesmo dormindo, a criança, mais bebê do que criança, posicionou o tronco os braços e as pernas, como se tivesse total consciência do que é essa posição, de cercar, envolver outra pessoa, ser cercada e envolvida também. a mulher tem o pulso enrolado por uma fralda, só assim conseguimos estancar o sangue, perdemos algumas fraldas no processo, foi o preço para a mulher não morrer esvaída na nossa frente. ela se comprometeu a compensar a perda, não prejudicar a criança, vai lavar rapidamente as fraldas sujas, terá sempre uma ou duas limpas de reserva, pediu que eu colocasse na lista de pedidos dos mantimentos, a mulher tem certeza de que eles vão voltar, vão repor o que nos falta, amanhã, em breve, sempre, indefinidamente. ela não está aqui há tanto tempo quanto eu, ela não passou dias e meses entre essas paredes, e antes, outras paredes, mas eu também não sei onde ela esteve, o que passou, sei que quando estava tudo mais calmo, o sangue contido, o pulso enfaixado, eu e a criança cuidadas, a cozinha limpa, a mulher se desesperou de novo, o bebê não pode ficar sem leite, o bebê não pode ficar sem leite. como eu, às vezes ela chama a menina de criança ou bebê, naquele momento da falta do leite ela falou bebê, o bebê precisa do leite, não tem mais nada, o pão acabou, a banana acabou, não tem comida de bebê aqui, não vou dar salsicha, sardinha em lata para um bebê. ainda tem macarrão, arroz, argumentei, um argumento que achei plausível, qualquer um concordaria que um bebê quase criança, que já anda, ainda que como os pinguins, e já fala algumas palavras, ainda que a maioria em sua língua incompreensível, pode comer arroz e macarrão, mas ela reagiu como se fosse um grande absurdo, um insulto, afinal eu não entendo nada de bebês, não falei isso desde o início, verdade, não entendo e nem tenho obrigação, nada mais distante do meu mundo do que uma criança, nem completei vinte anos e já tenho que pensar em bebês? parei num instante com o pensamento, sim eu já devia ter vinte, àquela altura até mais, contando os anos na prisão, em algum momento, a conta da minha idade se perdeu, ainda assim, seja lá quantos anos tenho, as crianças estão numa ponta do mundo e eu em outra, nunca tive esse desejo, de ser mãe, viver rodeada de filhos, que falam que toda mulher tem, nem de casar, esse pacote todo, e sou obrigada a ter? não, claro que não, a mulher me olhou, surpresa com minhas palavras, atordoada com o leite, e depois sacudiu a cabeça como se quisesse enxotar tudo, estava decidida a sair, era sua responsabilidade alimentar o bebê tenho algum dinheiro comigo, tem um mercado aqui perto, me falou como se eu não soubesse, como se eu tivesse nascido e passado meus vinte anos enclausurada neste apartamento, eu sei, um dia estive lá fora, imagina só, e também vejo as pessoas indo e vindo com compras, mas não podemos sair, você muito menos que chegou há pouco, o seu rosto pode estar num cartaz, o cartaz pode estar nesse mercado da esquina, qualquer pessoa pode te reconhecer e te denunciar, chegar até aqui, ferrar a gente de vez, ferrar outros companheiros, como saber quem está do nosso lado, como saber quem acredita no que a gente acredita. então vai você, ela se apressa para pegar o dinheiro, vai, traz quantas latas der, a mulher entrou no quarto e voltou, não percebeu a minha paralisia, a ideia de sair, o sol, a luz, o barulho da rua, andar até o mercado como se fosse um dia qualquer, como se fosse a minha rotina, como se não tivesse nenhum perigo, eu peguei as notas, nem perguntei de onde vinha aquele dinheiro, peguei e disse não, não posso, o meu corpo tremia, ela viu a minha pele tremer, os meus dedos, a minha voz, calma, digo, pensa, não podemos, é muito arriscado, não vou, não posso, não vou. a mulher arrancou as notas da minha mão, voou na direção da porta tão rápido que eu tive que me lançar para alcançá-la, fiquei com pena daquela criança, assistindo àquilo tudo, num dia só, tanta violência, eu e a mulher lutamos, eu com cuidado para não machucar o seu pulso, abrir de novo a ferida, ela com um desespero, uma fúria que ultrapassava a fome da criança, ultrapassava o leite. consegui enfim empurrá-la com força para longe, peguei a chave na porta, a cópia pendurada num prego na parede, enfiei dentro da calça, da calcinha, senti na vagina o frio do metal, a vagina arrepiada, a vagina fria, algo em mim caiu, se desmantelou, era o momento de eu me trancar no banheiro para a mulher desistir de vez daquela maluquice, mas eu desabei no chão sem forças, tremendo de frio, eu era uma pedra de gelo. ela não percebeu nada, veio para cima de mim e abaixou num gesto rápido a calça e a calcinha, pegou as chaves num impulso que puxou meus pelos, feriu minha vagina, só então ela parou abismada. olhava o meu tremor, olhava o meu ventre, olhava para algo que tentava desvendar, talvez tenha pensado, estamos as duas no mesmo abismo, você tem uma marca, disse, uma cicatriz, e passou o dedo de leve, muito leve, como se a cicatriz ainda estivesse aberta, fosse ainda uma ferida, de cesárea, ela perguntava e ao mesmo tempo afirmava, eu não sei, balbuciei, como não, não lembro, isso não se esquece, você engravidou, você teve filho, onde, como, não, não, nada disso, nunca, eu sou virgem, impossível.

a mulher largou de repente as chaves no chão, a mulher estava transtornada, o que fizeram com você, ela falou num tom, a certeza de que alguma coisa haviam feito, eu não sei, era só o que eu dizia, por mais que eu tente lembrar, não lembro, um dia acordei com muita dor na barriga, olhei e estava assim. A mulher, o seu rosto, havia em seu rosto um amor que eu nunca tinha visto no rosto de alguém, e antes disso, antes? os meus pensamentos eram uma névoa, como captar o antes? eu estava absorvida por aquele momento, até feliz por ter feito o reconhecimento, o amor, não se diz: só se reconhece o que se conhece, ou algo assim, e de repente eu tinha reconhecido, não sei como, algum milagre talvez, eu o conhecia. comecei a chorar, chorava com o corpo, não com lágrimas, nenhuma lágrima, estou seca, nada escorre, o frio do metal sou eu, e ainda assim pude enxergar no rosto de outra pessoa esse olhar, essa atenção completa, a entrega, talvez seja mais fácil enxergar no outro do que em mim, eu o havia esquecido completamente. a mulher chama a menina, que sentada no chão assistia a tudo, o que ela levará disso, me perguntava, mas eu também não sabia o que essa criança já tinha visto, como se adivinhasse, a mulher disse, ela ficou na prisão com a mãe até oito meses, e a abraçou, a criança fez algum comentário na sua língua, algo como bá bá bá, e rimos, as três, não sei por que não sei como. a mulher então me estendeu as chaves e se levantou, foram as duas para o quarto, eu atrás, nunca me senti sozinha naquela sala, só naquele instante quando as segui. no quarto a mulher se sentou no colchão, enfiou a mão dentro da blusa e puxou o seio para fora, eu fiquei olhando sem saber o que pensar, um peito grande, as auréolas escuras, largas, a menina se ajeitou próximo a ela, como ficam antes de dormir, quando a mulher a embala, cantarola e a menina dorme, as duas estavam calmas, quem apavorava era eu, o que você vai fazer, a mulher começou a apertar e a puxar o mamilo, a apertar e a puxar, você não tem leite, quase gritei, tive vontade de rir, você não é uma fábrica de laticínio, não sei o motivo do meu quase grito, eu só reagia, não basta ter um bebê e um peito para ter leite. a mulher se virou para mim, achei que ia me expulsar do quarto, mas disse, meu filho é um pouco mais novo do que ela, não tem muito tempo que parei de amamentar. um filho?, eu tinha achado que a mulher mentira, que era mãe da menina, não, o que eu via não era a mentira, era o seu corpo dizendo, eu pari, esta barriga este peito sabem, lembram, eu pari, gestei e pari, este corpo, esta evidência, ela apertava e puxava o seio com uma certeza, tanta certeza, de onde vinha essa certeza? a cicatriz em meu ventre ardeu, me feriu como se abrisse novamente, revelasse o que eu não lembrava, o que eu não conseguia lembrar, mas tem arroz, macarrão, balbuciei, você não precisa fazer isso, se o seu leite secou secou, mal acabei de dizer e a criança abocanhou o bico do peito, como se tivesse saído um líquido, uma gosma, algum sinal, alguma esperança, a mulher ergueu a cabeça, muito tranquila, ninguém precisa sair, o bebê tem alimento, a criança sugava, sugava, uma força imensa, uma força imensa numa criança, de onde vinha essa força? a menina de repente abriu os olhos e se voltou para mim, me olhava, mamava e olhava, eu me perdi, ali, mais uma vez, a menina me olhava como uma bruxa, como quem sabe, o seu corpo sabia e isso era tudo. a mulher começou a cantarolar, eu tive a sensação de que conhecia a música, a melodia, as palavras, mas não lembrava, a mulher era quem lembrava, eu esquecia. a sala, me afastei, precisei sair, o meu corpo doía, os meus seios, a barriga, a cicatriz, cheguei na sala, me deitei na minha ponta do mundo, a outra ponta, a outra, eu não sabia como habitar.

As unhas, a parte mais difícil, dolorosa, foi pintar as unhas. O esmalte, ela escolheu a cor, não queria vermelho, a voz saiu arranhada num fio quando disse, vermelho não. O motivo era óbvio, não precisava explicar. A manicure pegou um esmalte bege, cor da sua carne, examinou as unhas, ainda azuis em alguns pontos, roxas em outros, irregulares, umas no sabugo, outras, arrancadas, ainda não haviam crescido — mas vão crescer, a mulher que a recebeu no aeroporto disse. A manicure olhou longamente os dedos, longamente, como se fosse possível enxergar algo mais do que via, e começou o seu trabalho. Passou o esmalte sobre cada unha, a cabeça baixa. A mulher que a recebeu no aeroporto fazia comentários aleatórios, alegres, um contraste com as lágrimas. A voz e o rosto contraditórios e dissonantes. A manicure, de cabeça baixa, também chorava. Ela não se espantou. Seriam necessárias mais de duas camadas para cobrir as manchas. Ainda assim apareceria o roxo. Estava muito recente, não tem como o bege esconder tudo. Nenhum espanto. Vermelho não, ela disse. Claro, claro, as mulheres apressadas em concordar. Havia um espelho à sua frente, ela não olhava. As unhas pintadas, o cabelo feito, o vestido novo, as sandálias, o banho, o perfume. Ela tinha chegado com uma calça velha, uma blusa qualquer, uma blusa de homem, os cabelos presos, embaraçados, a cara lavada sem sabão, o sapato rasgado — isso passa, a mulher no aeroporto disse. Abraçou-a antes que pudesse recuar, o seu corpo, por instinto, recusava o contato. A mulher era cheirosa e macia, uma almofada. Vai passar, vai passar — repetia.

As unhas, ela costumava pintar de vermelho, era uma provocação, diziam que era cor de puta. Não aceitavam que era cor de gente, puta, virgem, mulher, era só uma cor, gostava de provocar. Mas quando arrancaram as suas unhas ela viu outro vermelho, o que era putaria para eles, afinal, as suas mãos cobertas de sangue. A mulher que a recebeu no aeroporto disse — vão crescer. E chamou uma manicure para fazer o que havia restado, tirar as cutículas, pintar, esconder debaixo da tinta as marcas roxas e azuis. As unhas pintadas, o cabelo feito, o vestido novo, as sandálias, o banho, o perfume. Deitada na banheira, ela teve um sentimento. Se deixasse o seu corpo deslizar, a cabeça submergir, se prendesse a respiração, se aguentasse alguns minutos, se resistisse — e já havia aprendido tanto sobre isso, resistir. Mas a mulher que a recebeu no aeroporto batia de três em três minutos na porta. Talvez ela tenha cronometrado o tempo, e três minutos fossem o suficiente. Ela respondia com uma voz que não reconhecia, um som vindo de lugares escuros, um cansaço extremo, uma vontade de deixar o corpo afundar na água, de não ter mais olhos para ver o que viu, ouvidos para ouvir o que ouviu, boca para gritar e calar tanto. Mas um vestido a esperava no quarto, uma manicure na sala. O seu pai chamava de desperdício, esse tempo gasto na arrumação dos cabelos, na precisão necessária para pintar os cílios, passar o rímel sobre os olhos, o batom na boca, o esmalte nas unhas. Futilidades, ele dizia. Também chamava de desleixo a aparência crua das unhas desfeitas, o cabelo solto ao vento, um pelo flagrado nas pernas, nas axilas, que horror, uma mulher desarrumada, parece que não é limpa, se não cuida de si não cuida de uma casa, uma família, que negligência, que horror, ele dizia.

Na prisão, ela se recusou a cortar os cabelos. Os fios caídos em seus ombros eram uma carícia que tinha, ela se recusou. Os anos transformaram os seus cabelos num redemoinho constante, não sabia mais o que fazer. Uma companheira de cela chegou um dia com pente e paciência para desembaraçar os nós, fio a fio, até o dia em que foi levada e sumiu. Márcia era o seu nome. Márcia não aguentou, as outras contaram. Os cabelos se emaranharam de novo rapidamente, os nós mais fechados do que antes. Não conseguia desembaraçar sozinha, ninguém conseguia. Insistiam para que cortasse, mas ela não cortava. Nos interrogatórios, puxavam o emaranhado com força e a chamavam de porca, depois que a deixavam nua, porca vadia, quando a menstruação escorria pelas pernas, porca vadia nojenta. Quando não aguentava mais e apagava, desgraçada.

O organismo suporta no máximo dois minutos sem respirar, ela havia lido numa enciclopédia. Com treino, é possível um pouco mais, um pouco só, porque a sensação de sufocamento logo se espalha pelo cérebro. A falta de ar invade os neurônios e todo o sistema entra em colapso como se fosse morrer, mas não morre, desmaia apenas, uma breve, pequena morte. O corpo dá um jeito para se salvar, e esse jeito é morrendo um pouco, por alguns segundos. Esse jeito é desligar a consciência, a vontade consciente de morte, parar tudo. O esforço, o sufoco, e o escuro, a única forma de voltar a respiração é dentro desse escuro. Nesse momento um corpo sem vontade, sem lucidez, sem pensamentos, era um corpo vivo. Um corpo suspenso no tempo e no espaço, imerso na água, no nada. Ela achou impressionante que a inconsciência não fosse o princípio da morte, mas uma esperança, a sobrevivência, a sobrevida.

As coisas da mãe de Melina estavam no quarto dos fundos no apartamento do pai, o quarto de empregada transformado em despensa, a despensa transformada em entulho. As coisas da mãe de Melina dentro de uma caixa de papelão faziam parte do entulho, ao redor coisas velhas, quebradas, inúteis, uma vitrola pela metade (só sobrevivera a caixa de som), uma bolsa de mercado com sapatos rasgados (todos os pés desencontrados), uma raquete de frescobol solitária, luvas de boxe puídas. Somos uma ilha rodeada de caixas de papelão por todos os lados, Melina disse, eu pensei nas tralhas do meu avô em algum depósito de lixo, amontoadas com as tralhas de outras pessoas, cacarecos de doentes, falecidos, desapegados, rejeitados, organizados, insensíveis; as tralhas do meu pai trazidas do outro lado do oceano, despejadas de repente em meu colo (despejo que eu adiava), as tralhas do pai de Melina acumuladas às tralhas da mãe caíam agora sobre ela, todas unidas no mesmo acúmulo inútil. Somos uma ilha invadida pelas tralhas alheias, eu disse, Melina riu, quem dera fossem só tralhas, quem dera fossem alheias.

Ao entrar no quarto amontoado, ela instintivamente colocou a mão na barriga, instinto de proteção, instinto de sobrevida? Somos uma ilha que também começa a acumular as próprias caixas, tudo que precisamos encaixotar para dar espaço ao bebê, que ainda não largamos ou não conseguimos deixar para trás, que ainda achamos muito necessárias, mesmo longe de nossas vistas, mesmo sem uso. O próprio bebê um dia também terá as suas caixas, em questão de décadas será ele que vai entrar num quarto, abrir um armário e se deparar com os nossos cacarecos de pais. Só espero que não sejam sapatos sem par, uma caixa de som muda, um jogo abandonado, uma briga rendida. A minha imaginação se recusa a compor os meus restos, não sei o que sobrará. Melina ri. Quando está tensa, ela tem a mania de rir, como se o riso pudesse, pudesse qualquer coisa.

Eu dei gargalhadas no velório da minha mãe, Melina me contou. Uma amiga me falou coisas engraçadas, deve ter sido para me consolar, me distrair. Não avisaram a ela que não se consola uma pessoa no enterro dos seus pais, que se deve deixá-la ir até onde puder na dor. Ela ainda não tinha perdido ninguém, não sabia que a morte não é uma coisa da qual a gente se distrai. Eu ri alto, tão alto. Naquela noite, rezei desculpas para a minha mãe. Eu não rezo, você sabe, mas como falar com alguém que não aparece mais? Só quando fecharam a tampa do caixão e o rosto rígido, as mãos frias, as flores foram sumindo, sumindo, sumindo... só no instante em que a minha mãe desapareceu completamente da minha vista, em que só ficou visível o tampo de madeira, só quando nos restava apenas ir embora, dar de cara com a rua, os ruídos do mundo, só então veio a certeza, ela nunca mais me diria é falta de amor, só então soube, ela nunca mais me diria nada. Não existia mais a mãe, nem o corpo, nem a voz, nem a cabeça dura, nem carinho, nem acusações nem nada, apenas lembranças, imagens, objetos, agora ela só existia por meio de outras coisas, como uma incorporação constante, uma busca aflita para se rematerializar. Será o mesmo para nós algum dia, ou estaremos nas lembranças ou estaremos nas caixas ou não estaremos mais.

Melina abriu a caixa com o nome da mãe em cima. A letra do pai, logo reconheceu, um garrancho apressado e gasto de hidrocor vermelho. Mais tarde, ela me disse, eu não tinha reparado que estava com a mão na barriga desde que entrei no quarto, e com a mão na barriga continuei enquanto a outra abria a caixa, tirava os pertences que eu não esperava mais encontrar: joias (os brincos de ouro, os anéis preferidos; eu achava que tinham sido enterrados juntos, de tanto que ela usava), os perfumes (o aroma de mãe misturado com poeira invadiu o quarto), algumas cadernetas (minha mãe tinha muitos amigos que nunca via, mas se falavam horas pelo telefone); lenços (ela precisava de lenços sempre à mão) e uma carta (minha mãe não era de escrever, preferia a voz à distância).

A carta era de uma mulher, o nome desconhecido não fazia parte da nossa vida familiar, fazia parte de outra vida da minha mãe, antes do casamento. Outros papéis eram propagandas, panfletos, coisas, pensei, sem a menor importância, o que faziam ali? Eu não tinha visto, mas entre os folhetos havia outra carta, a letra da minha mãe, de remetente, e o meu pai, o destinatário. Eu não reparei, mas nem mesmo quando precisava da outra mão para abrir o envelope, eu não a retirei da barriga. E como se manter a mão na minha barriga fosse a coisa mais natural, você pegou o envelope e me deu a carta.

Alguns anos antes de adoecer, minha mãe expulsou o meu pai de casa, fez as malas dele e pôs na porta. Não aguento mais, ela disse, quando ele chegou. Não aguento mais, estava escrito na carta. Na verdade, um bilhete. Uma única frase. Essa frase vale como carta de separação? Perguntei para o tempo, para o nada. E tirei a mão da barriga porque você me estendeu o envelope. Eu o peguei (por que me estendeu? por que o peguei?), porque havia mais coisas nele. No mesmo instante senti o peso, não era peso de papel, era outro.

Meu pai tinha perguntado, estava nas coisas da sua mãe? A voz rouca, sem músculos, sem forças para dizer, apenas murmurar nas sombras. Estava, sim, nas coisas, nas tralhas, nas inutilidades, no bilhete de separação: outras fotos de pessoas mortas. Homens, mulheres. Todos nus. Por que nus? Perguntei mais tarde, como se fosse a pergunta mais urgente.

Eu tinha tirado a mão da barriga e de repente não a sentia mais. Não senti nada, só um líquido quente escorrendo entre as pernas. Urina? Não era cedo para o corpo perder o controle assim?

Mandaram ela tirar a roupa, mandaram que a dobrasse e colocasse num canto, mandaram que ficasse de quatro, que gemesse como uma puta. Ela era uma puta e devia gemer como uma puta geme, se mover como uma puta se mexe, levantar a bunda como uma puta levanta. Ela nua tremia de nervos, era inverno e ela tremia, não soube por que pensou em chocolate quente, naquela hora como podia pensar, no ano passado na mesma época tomava chocolate quente numa confeitaria, agora sangrava e não a chamavam mais de puta, chamavam de porca, não a deixavam tomar banho, não lhe davam absorvente e a chamavam de porca. O vestido que tinha tirado estava sujo de sangue, imundo de não lavar nunca, mandaram ela dobrar como se dobra roupa limpa, mandaram colocar dobrada num canto como se guarda no armário, ela entendeu que também era uma tortura, remontar a hábitos de rotina, a vida livre, a normalidade, por isso a sua mente reagiu, trouxe o chocolate quente, e o seu conforto, o seu aconchego, a sua doçura, ela precisava ser forte.

De quatro puxaram seus cabelos para trás, bateram na sua bunda, chutaram, depois a viraram, abriram as suas pernas, xoxota feia, fedorenta, ela já tinha dito os nomes que pôde dizer, os endereços que pôde, os ultrapassados, os que tinham caído, ela acha que não denunciou ninguém, ela tem certeza, já estava ali a tempo de não saber nada novo, não servia para mais nada, quase todo mundo já tinha morrido, não tinha mais ninguém para matar, muitos já tinham fugido, outros desaparecidos, outros juntavam os cacos, acabou, ela gemeu, acabou, começou a gritar, colocaram os eletrodos na sua vagina, nos ouvidos, na língua, ela não servia para mais nada.

O último corte que sentiu foi abaixo da axila, próximo aos seios. O mais doloroso foi na barriga, na altura do fígado, foi esse que a matou. Colocaram uma arma em sua mão, atiraram em seu corpo, mas ela não sentiu. Depois que constataram a sua morte levaram o seu corpo para uma sala. Na sala havia uma cama pequena e ali o puseram. Alguém veio e observou os ferimentos. Alguém veio e limpou o sangue espalhado pela pele. Alguém veio e mexeu na posição dos braços, cabeça, pés. Alguém veio e passou pó bege nos ferimentos à faca. Alguém veio e arrumou novamente os braços, cabeça, pés. Alguém veio e fez anotações num caderno. Alguém veio e não fechou os olhos. Alguém veio e tirou uma foto.

Suicídio, estava escrito na carta da amiga da mãe de Melina. Na verdade, não tem como saber se eram amigas, a carta tem um tom amargo de ruptura, uma intimidade rompida, frases que revelam convívio, outras que revelam distâncias. A carta é uma resposta sobre o paradeiro de outra amiga, alguma notícia? Há um estranhamento, por que o interesse agora, depois de tudo? Suicídio, disseram, mas não foi suicídio, garanto, eles acham que podem dizer qualquer coisa, basta dizer que a verdade se esconde, mas eu sei, você também sabe, apesar do passado, das nossas diferenças, você sabe que ela nunca faria isso, uma violência tão grande contra si mesma.

O sangue escorreu pelas pernas de Melina, o sangue era o embrião em risco, ainda não era uma criatura, nem mesmo isso, mas já começava a desistir. O médico recomendou repouso absoluto, movimentos apenas os necessários, os indispensáveis para sobreviver ao dia a dia. Só levantar quando for insuportável permanecer deitada, andar lentamente, com o mínimo de impacto no chão, evitar gestos bruscos e o próprio peso se for possível, deixar que outros carreguem o que agora não pode sustentar, cuidar para não respirar forte, respirações profundas levam o oxigênio bruscamente para o diafragma, comprimem o ventre. Cuidar para não rir muito, risadas exigem dos músculos abdominais, o choro contrito também provoca contrações e espasmos, cuidado com o que leva as emoções e o corpo acima e abaixo, mantenha a serenidade de não sentir nada, não fazer nada, cuidado, qualquer coisa pode assustar o embrião, qualquer coisa pode expulsá-lo.

Há na carta uma acusação, vocês nos viraram a cara, taparam os ouvidos, os olhos. Por que essa pergunta agora, certamente não é para ajudar, a hora da ajuda já passou, agora é hora de recolher os restos, eu exijo saber, por que agora? O que vocês sabem, o que querem? Não há vestígios de uma resposta, nenhum sinal de como a mãe de Melina reagiu à notícia da morte da amiga, talvez de infância, talvez de adolescência. Melina juntou as duas cartas, a da amiga e a da mãe, datavam do mesmo mês, do mesmo ano, uniu as duas com um elástico. As fotos. Ela não sabia o que fazer com as fotos, acabou deixando-as no envelope original, junto com o bilhete. Estavam ali desde o início. Um dia, a sua mãe as encontrou em algum lugar, escreveu num papel para o seu pai, eu não aguento mais, e colocou tudo junto dentro de um envelope. As fotos pertencem ao bilhete de separação, ao que ela não podia mais suportar.

Havia mais nas coisas da mãe de Melina: um certificado de curso de fotografia do exército, o nome do pai como aluno. O seu pai concluiu o curso, o seu pai, um fotógrafo? Melina mantém a mão na barriga. O caminho da cama até o banheiro é longo e extenuante. Em cada jato de urina há o medo do sangue. Mas o meu pai não ligava para fotografia, ela disse, mal olhava a minha câmera. O meu pai a espatifou no chão no dia em que foi embora. O meu pai chorou sentado no meio-fio, próximo à Casa da Morte. O meu pai está cada dia pior, me contou outro dia a enfermeira. A visão turva não permite que ele ande sem tropeçar nas coisas. Uma escuridão se apossa dos seus olhos. A minha mãe adorava a nossa casa em Petrópolis. De um dia para o outro, nunca mais voltou lá. Os meus pais discutiam com a voz abafada, trancados no quarto. A minha mãe chorava escondida no banheiro. A minha mãe perdeu uma amiga nos porões. Uma amiga assassinada. Uma amiga a quem ela havia dito o que não se diz a uma amiga. A minha mãe encontrou as fotos numa pasta do meu pai, guardada atrás das roupas, no fundo do armário. A minha mãe reconheceu a amiga na moça morta. A minha mãe não quis reconhecer. Escreveu para outra amiga em busca de confirmação. A outra amiga confirmou. Mas para que esse interesse agora, você não se importa, nunca se importou. A minha mãe se trancou no banheiro com a foto. Ela não soube o que fazer com aquilo. Sem perceber, entre uma xícara de café e um cigarro, um jornal e uma revista, era uma pessoa que não se importava. A minha mãe exigiu explicações do meu pai. O certificado do curso também estava na pasta, no fundo do armário. Ele não explicou. Disse que não é uma criança, não tem que se explicar. A minha mãe fumava dois maços por dia, com imensa saudade da infância. A minha mãe se recusou a devolver as fotos, o meu pai a sacudiu com força e a derrubou no chão. A minha mãe o chamou de covarde. A foto. O fio partido sobre as nossas cabeças. Na biblioteca, a gente leu numa revista sobre essas pessoas, lembra? Melina me pergunta como se fosse possível esquecer. Nossos rostos, nossos corpos tão próximos, debruçados sobre aquilo tudo. Pessoas que entravam nas salas de tortura contratadas para um serviço. Algumas para anotar as confissões em meio aos choques, em meio aos gritos. Era preciso alguém para anotar, como depois iam se lembrar de tudo? Outras para fotografar uma cena forjada, uma morte natural, um suicídio, a gente leu sobre isso, pessoas comuns que entravam e saíam de suas casas, entravam e saíam dessas salas, assinavam um documento de sigilo, estavam ali somente para aquilo. A minha mãe chamou o meu pai de covarde. Se trancou no banheiro para chorar. Fez as malas dele, pôs na porta, não aguento mais. O meu pai rasgou a foto do jovem musculoso na praia, a enfermeira me contou outro dia. Jogou no lixo o que não pode mais enxergar. O meu pai não quer comer. Não confia na comida. Ele quer ver o que põe para dentro e não pode mais. A enfermeira força, ele cospe. A enfermeira chama outros enfermeiros, o seguram para dar o alimento, o seguram para colocar o soro. O meu pai se debate. Soca o próprio peito, como se acusasse e ao mesmo tempo se defendesse. Eles o imobilizam, o amarram. O meu pai grita, assassinos. Assassinos. O meu pai chora.

Não sabemos nada sobre Olívia, e de repente ela está em nosso quarto. Digo nada e me arrependo, sei tudo que ela me escreveu. Mas diante da irmã em carne e osso, a irmã das palavras se põe, como se a sua presença revelasse mais do que pode ser escrito. Olívia veio quando soube do princípio de aborto. Eu evitei escrever dessa forma, usando as palavras que são, mas ela veio assim que soube, não esperou ser convidada, deve ter cansado de esperar. Procurei em seu rosto alguma semelhança com o meu, mas era como olhar através de um vidro embaçado, impossível enxergar do outro lado, ver Olívia em mim, me ver em Olívia. Levei cinco minutos na cozinha para fazer um suco e levar para o quarto, e quando voltei Melina e Olívia já eram íntimas. Abraçadas, pareciam acomodadas no corpo uma da outra. Olívia serviu o suco à Melina, afagou a sua mão, ajeitou o travesseiro, cobriu as suas pernas. Olívia é mãe de três filhos, atravessou o oceano para cuidar do pai nas últimas semanas de vida, agora cobre as pernas da minha mulher e diz que vai ficar tudo bem. Ela trouxe flores, óleo de lavanda para massagem, um livro de meditação. O rosto de Melina brilha. Olha para Olívia como se visse um ser de outro planeta. Em outros tempos, trocaríamos o nosso olhar irônico, que figura, e aos poucos Olívia se tornaria uma presença que nunca teríamos tempo para ver, criaríamos a mesma distância entre nós que nos foi criada pelo nosso pai.

É difícil o reconhecimento, eu repetiria sem notar os passos do homem que se distanciou dos filhos, e que me deixou como herança essa distância. E cartas, Olívia disse. Deixou cartas. Não só dele, mas do seu avô também.

De repente, a imagem do meu avô emergiu sobre mim, alto, resmungando, como se eu o tivesse esquecido. E se meu avô emergiu alto é porque eu tinha perdido altura, eu era de novo menino. Ele escreveu para o meu pai depois do desaparecimento da minha mãe. Procurava notícias. Eu vi nas palavras escritas do meu avô um desespero inédito. O pai aflito em busca da filha. Eu só conheci a outra face desse pai, a que não perdoa, a que não aceita, a que afunda no silêncio a presença, como se a memória fosse um insulto. Na carta, o meu avô acusa o meu pai. Você fugiu como um rato, não foi homem de ficar, de encarar as consequências. Ela ficou e desapareceu. Olívia disse que nada sabia sobre o envolvimento do nosso pai com a luta armada, certamente a mãe também não. Ele era um rapaz que ela conheceu no cinema. Recém-chegado do Brasil, tinha ido reencontrar parentes, foi o que ele falou. Parentes que, mesmo depois de casados, ela nunca conheceu. O meu pai pisou em Portugal e cortou relações com o Brasil. Nada sabíamos sobre essa outra mulher, Julia, do outro lado do oceano, Olívia falou. Julia. Ver o nome da minha mãe escrito numa carta era como marcar de tinta azul a sua existência.

Agora entendo, Olívia disse, eu era menina, e o pai tinha essa mania estranha. De repente, queria ficar sozinho. Eu não entendia essa urgência em se afastar. Agora penso, ele se afastava de nós para se aproximar do passado. Aquele jeito de olhar a janela, a parede, era o jeito dele de olhar a sua mãe, o Brasil, tudo que não via mais. Na sua carta de resposta, ele não disse nada que confirmasse o seu envolvimento com a política, Olívia me mostra o rascunho que ele guardou. Há muitas frases, palavras riscadas. O meu pai escreveu que ficou muito abalado com a notícia do desaparecimento de Julia, que pretendia voltar ao Brasil para ficar com ela, ou que iria buscá-la em breve para morarem juntos em Portugal, que não ia deixá-la, que a amava muito, a amava, amava, amor.

Ele repetiu muitas vezes que amava a minha mãe, mas todas essas frases foram riscadas, não devem ter sobrevivido à versão final.

Sebastião Monteiro de Mello, seu Sebastião para o jornaleiro, o padeiro, o dono da mercearia, o porteiro do prédio, Sebastião para os vizinhos mais chegados, Tião para a vizinha de porta, Titinho para a mesma vizinha, ao pé do ouvido. Esse senhor de 67 anos teve a sua rotina profundamente abalada no dia em que a sua filha saiu às oito da manhã para ir à faculdade e não voltou mais para casa. Sebastião a esperou para jantar. Não que jantassem juntos, conversassem, mas era aquele momento de pegar o prato e se sentar no mesmo sofá diante da televisão. Julia não apareceu, e seu Sebastião foi até a faculdade no dia seguinte de manhã, depois até a casa dos amigos mais próximos. Ninguém sabia de nada, ninguém viu nada. Seu Sebastião descobriu que os amigos que conhecia da sua filha não a viam há muito tempo. Seu Sebastião descobriu que Julia tinha amigos que ele nunca tinha visto nem ouvido falar, uma vida que lhe era totalmente desconhecida. Em busca dos vestígios dessa vida, ele foi à polícia, ao IML, ao exército, ao SNI. Falou com pessoas que anotavam o nome completo da sua filha num papel, sumiam pela porta, voltavam com a mesma expressão de antes, diziam que era preciso esperar mais tempo para ter alguma notícia.

O tempo. O tempo ganhou outra dimensão para o seu Sebastião desde o dia em que a sua filha saiu de casa para ir à faculdade e não voltou. O tempo é de repente essa esfera viscosa em que as coisas se arrastam e não saem do lugar. O tempo é essa mudança de vista sobre as discussões por causa da música alta, incenso, saias curtas, namorados. O tempo é essa lupa sobre as brigas diante da televisão, das manchetes nos jornais, os sussurros no telefone, as saídas constantes em horas imprevistas para o cinema, o teatro, a faculdade, a biblioteca. Eu deveria ter percebido, D. Jandira acolhia em seu ombro a cabeça pesada de Tião. Eu deveria ter feito alguma coisa. Qualquer coisa.

José Antonio Guimarães, recém-chegado no Porto. Esse jovem de 25 anos anda com alívio pelas ladeiras da cidade, sem cumprimentar nem ser cumprimentado, sem perseguir nem ser perseguido. Distante do que acontece no outro lado do oceano, distante do que acontece em Lisboa, distante do que acontece fora do quarto alugado numa pensão familiar, segundo andar, terceiro aposento à esquerda. José Antonio Guimarães sente saudades da namorada, poderiam estar juntos, mas para ela se exilar era fugir, foi isso que o meu pai falou ao meu avô. Ele tinha conseguido um passaporte para a minha mãe, novo nome, nova identidade. Ela não quis. Imagino o meu avô, vejo o meu avô na sala, sentado na cadeira de madeira escura, os cotovelos apoiados na mesa que nunca usava para as refeições, apenas para fazer as contas e ler as correspondências. O meu avô lê a carta do namorado da filha, um rapaz que viu duas ou três vezes, sobre quem ela havia dito, ali mesmo naquela sala, que não era mais namorado nem amigo nem nada. Até ler a carta de José Antonio, o seu Sebastião não tinha imaginado que havia outros modos da filha desaparecer. Desaparecer aqui, aparecer em outro país, outro nome e sobrenome, como se o seu, o paterno, nunca tivesse existido, nem o nome da mãe, já falecida e esquecida, nem ninguém que veio antes naquela família. Seria um nome inventado, com toda uma vida também inventada. Você azucrinava a menina, Jandira disse com a voz doce. Reclamava de tudo, proibia tudo, você forçou a menina a mentir. Pode ser, Tião não tinha resposta, a não ser que era possível, aquilo e qualquer outra coisa. Depois de ler a carta, guardou-a no envelope, depois numa caixa de sapatos, depois na parte de cima do armário.

O meu avô não escreveu mais para o meu pai. Nem quando bateram na sua porta, nem quando entregaram um bebê nos seus braços. Um rapaz magro, com rugas de cinquenta anos num rosto de vinte. As costas curvadas precocemente, um grande peso instalado nos ossos. É o seu neto, o rapaz disse. Me falaram que é o seu neto. Tenho certeza de que é o seu neto.

O avô cuidou do menino, com a ajuda da vizinha. O avô tinha recomposto um fio: a filha sumira de casa grávida de pouco meses (não tinha barriga). Foi para algum lugar (onde) onde passou a gravidez (como) e teve o filho (onde quando como). Depois do nascimento, o fio se rompe de novo. A cena em que Julia pega o filho e o entrega ao amigo, com quais sentimentos ela se despede do filho, se chega a se despedir, se não foi o contrário, o filho já nos braços do amigo que se despede da mãe, porque a mãe já é um corpo, a mãe não está mais lá, penso em outras formas e não consigo ir adiante, essa cena é impossível recompor.

O amigo da minha mãe, com suas costas curvadas, as rugas precoces, é o mensageiro. Ele leva o bebê ao meu avô, escreve a notícia ao meu pai. José Antonio Guimarães está sentado na cama em seu quarto de pensão em Portugal quando lê a carta que anuncia o meu nascimento. José Antonio Guimarães guarda a carta no bolso do casaco ao escutar um barulho vindo do banheiro. É um choro de bebê. Uma mulher abre a porta e vagueia pelo quarto cantarolando e ninando a filha.

Nosso pai amou duas mulheres ao mesmo tempo, Olívia disse. É o que parece, teremos que nos conformar com a aparência, mas pode não ter sido amor, pode ter sido carinho, desejo, desespero, qualquer outro sentimento que une duas pessoas por um tempo determinado ou infinito, uma esperança, uma xícara de café compartilhada, uma tarde na cama, o cheiro do corpo, uma mísera trepada. Ele tinha acabado de chegar do Brasil, a sua mãe ainda por todos os poros, quando encontrou a minha no cinema. Como num filme, como num filme em que todos se desencontram, elas devem ter engravidado no mesmo mês. Nascemos com diferença de dias um do outro. Você aqui, eu lá. Quase gêmeos, gêmeos de ventres alheios.

hoje acordamos sabendo que a única que tem alimento é a bebê, os armários vazios, abertos, a comprovação constante da falta, água bebemos da torneira, não morreremos de sede, brinco, mas não tem graça, não tem graça brincar com o que pode acontecer. há tantas formas de morte, aqui nesse apartamento, todas fazem suas sombras, nos espreitam, eles vão chegar, a mulher fala, repete, eles sabem que estamos aqui, sabem que havia pouca comida, ela se convence, abraçada à criança, agora as duas são uma só, e o seu filho, pergunto e me arrependo, atrás do filho tem uma história, eu não quero saber, ou talvez queira, a mulher aperta a criança, a mãe presa, o pai no exílio, os dois separados e sem a filha ao acordar, ao dormir, e o seu filho, quem o abraça, quando vai vê-lo, a mulher não tem respostas seguras, o pai sumiu, deixou com a irmã, quando tudo acabar vai pegar o seu menino, a irmã levou uma foto sua, mostra para ele todo dia, todo dia fala é a sua mãe, ela vai voltar, olha bem, um dia ela volta. a mulher lamenta não ter uma foto dos pais para mostrar à menina, a mulher me olha, e você, eu, eu nada, eu coisa nenhuma, foi na prisão, foi um deles, ela insiste pergunta, ela deduz, eu não sei, a cicatriz pode ser de outras coisas, não pode? eu não percebo a minha angústia, como eu não lembraria de um homem aqui dentro? um homem que nunca quis? eu não percebo o meu desespero, como esqueceria se uma criança tivesse saído do meu corpo? como não lembraria da barriga, do peito, do bebê se mexendo, crescendo, crescendo, até explodir? eu pergunto, eu mesma respondo, não lembro nem mesmo antes, só lembro quando cheguei, as outras mulheres na cela, os gritos, a dor, o meu corpo, eu saía do meu corpo nas horas insuportáveis, é uma técnica indiana, eu saía do meu corpo, me olhava de longe, aquela moça na vara, aquela moça afogada, aquela moça pendurada, aquela moça roxa, eu via de longe, anos e anos, a mulher tinha lágrimas nos olhos, você fala de um jeito, você não percebe, você precisa sair daqui, você é muito nova, não pode continuar assim, assim como, eu não sou boba, eu sabia dos riscos, eu li marx, engels, che, a mulher me corta, não precisa de marx nenhum, a mulher ganha outro tom outra cor, é o que eu dizia ao meu marido, o homem que agora está desaparecido, o homem com quem ela travava mil batalhas verbais, o homem que ela foi visitar na prisão e estava azul, por que você está azul, a mulher perguntou, e ele sorriu, como se a pergunta viesse de uma criança e não da sua mulher, ele sorriu com a boca azul, os olhos azuis, as mãos azuis. a mulher continua, pra que ler marx, eu dizia a ele, olha em volta, olha, sai do seu bairro, sobe o morro, conta quantas escolas tem, hospitais, e digo agora a você, basta olhar as ruas, o quarto da sua empregada, ou você é daquelas que acha marx o máximo e não vê nada demais num quarto de empregada, eu vejo, respondo, a mulher mal me conhece, a mulher me ofende, não sabe que o quarto de empregada da minha casa era o meu, a filha caçula, o meu irmão tinha o seu quarto, ele precisava de amplitude, a sua altura, o seu tamanho, as suas coisas não cabiam num lugar tão pequeno, eu não, eu cabia, ali eu aprendi a não ocupar muito espaço, ali aprendi a não crescer. como a mulher pode achar que eu não vejo nada demais, eu vejo tudo, mas ela me acusa, e agora não fala mais comigo, fala com o marido, o homem que reagiu mal à sua gravidez, que não queria deixar a militância para ter filho, eu peço para ela parar, estou com dor de cabeça, estou fraca, estou imunda, estou exausta, as únicas lembranças, o meu corpo pendurado, as dores na barriga, estilhaçam minha mente, todo o resto, os anos que esqueci, tudo que não lembro me esgota.

vou para o banheiro, a água do chuveiro cai em minha nuca em minhas costas, sinto um alívio, quase uma alegria, não há mais sabonete, não há shampoo, eles vão trazer, a mulher grita do quarto, eles quem, eles quando, a criança chora de fome, o leite da mulher é pouco, a criança continua faminta, o corpo vai produzir mais leite, ela grita, e eles vão trazer também, garante, a mulher às vezes me enerva, quando vejo ela está na minha frente, traz a menina, dois baldes, podemos entrar, demoro a entender o motivo, economizar a água, estocar água, não sabemos até quando vai ter, a água a luz. a mulher olha o meu corpo, o ventre, aponta o tufo de pelos sobre a minha vagina, acha graça, hesita, ri, levanto os braços para ela ver as axilas, é uma floresta, rimos, há muito acabou o gilete, veja as minhas pernas, a virilha, rimos rimos, rimos, o riso e também a surpresa do riso. a mulher tira a sua roupa e a da criança, entram no box, vejo o corpo da mulher de perto, nunca havia visto o corpo nu de ninguém dessa distância mínima, ela também está repleta de pelos, em todos os lugares antes raspados a penugem cresceu para frente para os lados, a mulher também é uma floresta, se meu marido me visse, ela não segura a gargalhada, assim que somos sem a gilete, só a menina permanece lisa, como nasceu, assim que somos, rimos rimos, jogamos, esfregamos a água no corpo, quase felizes. eu toco um seio da mulher, o mais cheio, o mais bonito, tenho vontade de sentir a textura, o formato, ela não reage, respira, toco a barriga, redonda, macia, eu gosto do seu corpo, digo sem perceber, quase um pensamento, gosto, a mulher sorri, olhamos nossos ventres, você acha que fiquei barriguda, pergunto, que a minha pele se esticou e depois encolheu, ela me toca abaixo do umbigo, não sei, você é nova, já pode ter voltado ao lugar, quanto mais cedo mais fácil tudo se encaixar de novo, a mulher toca em meus seios, acho que você não amamentou, dá para perceber, a mulher se emociona, o que aconteceu, você não se pergunta, não quer lembrar, a mulher acaricia com a ponta dos dedos o meu bico, eu fecho os olhos, a criança brinca com a água, escuto a sua risada, ela sente um prazer enorme com a brincadeira, eu de olhos fechados, prefiro não escutar a pergunta da mulher, prefiro os seus dedos, a água, os pelos, eu rio rio.

depois do banho a mulher leva a criança para o quarto, põe a fralda, dá peito, dá carinho, a mulher faz para a menina o que espera que façam com o seu filho, a mulher é mãe para a criança à sua frente, ela canta baixinho, que fim levaram todas as flores, que a rainha louca não gostava, eu reconheço a música, me aninho no colchão perto delas, a melodia me nina também, que fim levaram todas as flores, que a criança às vezes me pedia, a voz da mulher ressoa, que fim levaram todas as flores, que o preto velho me contava, a mulher espera que a menina durma de tanto mamar, mesmo sem muito leite, durma de cansaço, durma para não sentir fome, é como vamos dormir também, sem saber como será o dia seguinte. não há nada mais no apartamento, só a gente, vamos aguentar por quanto tempo, eu me pergunto, eles vão chegar, a mulher fala, peço para ela não repetir isso, cada repetição é a confirmação de que estamos sozinhas, de que fomos esquecidas, a mulher insiste, eles vão chegar, não nos deixariam aqui, quase discutimos, mas a criança dorme, a mulher a coloca no colchão e se deita ao meu lado, diz para eu não ter medo, me abraça, encosto o rosto em seu colo, sinto o volume dos seios, sinto novamente vontade de tocá-los. a mulher advinha o meu desejo e leva a minha mão até eles, eu também gosto do seu corpo, ela diz, levanta a minha blusa, acaricia o meu ventre, quando dou por mim a sua boca está colada à minha, sinto a sua língua, sinto uma suavidade tão grande, não lembro mais qual foi o meu último beijo, antes desse, antes da prisão, um rapaz numa festa, não lembro o que senti, a mulher me acaricia com os lábios, da boca vai para os meus seios, suga um bico depois o outro, eu fico imóvel, um arrepio não deixa eu me mexer, depois passa pela minha barriga, esse mistério que ela quer desvendar, chega à cicatriz, a mulher a beija, de leve, muito leve, sinto cada franzido da pele, cada textura, reentrância reagir. eu sei o que ela quer, ela quer que eu lembre, uma revolta sobe pelo meu corpo, um incômodo, quase peço para ela parar, mas a mulher continua até que nos beijamos de novo, eu não penso mais, ela me toca, atravessa os pelos, sorri, gosta da umidade que inunda os seus dedos, a sua mão, a mulher entra, eu abro as pernas, eu também sorrio, uma mão me come, a outra sobre a cicatriz, estou dentro, a mulher fala, eu a sinto tão fundo que me perco, muito dentro, a mulher sussurra, você não é virgem, querida, a mulher chora, me beija tanto que mal respiro, sinto o meu corpo rachar, a técnica indiana, como se o instinto acionasse o comando, me leva para longe, mas eu não quero reagir ao que a mulher disse, quero estar aqui. nunca fui tocada assim, digo, quase não tenho voz, tremo inteira, como se sentisse frio, mas é calor, de longe vejo um corpo acuado no chão, um homem em cima, outros na sala, escuto risadas, do que riem? vejo uma barriga imprevista, uma barriga pela metade, murcha antes de crescer, sinto o corte, escuto gritos, por que grito? a mulher se assusta, tira lentamente a mão, quando a vejo fora do meu corpo me desespero, não, volta, algo por dentro irrompe, continua, o meu corpo lateja, algo nele me machuca, eu quero a mão da mulher, a sua suavidade, carícia, ela fica com medo de continuar, percebe o que acontece, é a lembrança, o seu olhar tem aquela expressão, desculpa, a mulher pede, arrependida, eu choro, há quanto tempo não choro? não a culpo, me aproximo do seu rosto, sei que essa mulher sente amor, é uma capacidade para mim perdida, mas reconheço, sou capaz de reconhecer, nos abraçamos, a menina ao lado dorme, vamos dormir as três até o dia seguinte, até dia nenhum, até que a porta se abra, vai abrir, não vai, fui esquecida, a mulher não percebeu ainda que também foi, mas a criança, eu me viro e puxo a menina, que se aninha entre nós, a criança não, não iam deixar uma criança assim.

Há livros por todos os cantos da casa, pilhas enormes no corredor, na sala, é o que acontece quando se desmonta uma biblioteca, os livros se perdem, ganham volume, espaço, não os encontramos mais. Desnorteado com Melina na cama, Melina em repouso, cuidando imóvel do nosso filho ou filha — o médico disse embrião, com a certeza de que é ainda um pedaço de gosma, ainda não há um ser ali —, desnorteado não percebi que os livros se transformaram em pilhas inomináveis, a literatura brasileira se perdeu entre a filosofia e a história, a literatura russa e a americana misturadas com a argentina e a mexicana, livros de fotografia e biografia inalcançáveis atrás dos dicionários e gramáticas, desnorteado lembro que coloquei *Alice* perto dos livros de poesia, desnorteado percebo que o perdi.

Olívia me mostrou a última carta do nosso pai para o meu avô. É também um rascunho incompleto, não dá para saber nem mesmo se a carta foi escrita, muito menos enviada ou recebida. O meu avô tinha muitas caixas na parte de cima do armário, mas eu joguei todas fora sem abrir. Olívia chorou quando eu lhe contei isso. Não foi exatamente um choro, mas os seus olhos se apertaram úmidos. Ela tinha aberto todas as caixas do nosso pai, não eram tantas, mas ela abriu uma a uma separando as coisas importantes. O que é importante? Como saber? Olívia apontou o rascunho, a caligrafia pequena e irregular acusava o meu avô. A acusação foi riscada seguida de outra acusação. Olívia pegou as cartas do amigo de minha mãe, o mensageiro, que havia anunciado a minha existência. Eu temia ver essas cartas, nas quais está escrito um filho, um filho, um filho, eu temia ver isso no papel.

O amigo da minha mãe me pegou nos braços, um bebê em seu colo, e me entregou ao meu avô. Ele preferia ter me deixado com outra pessoa, só que não havia ninguém. O mensageiro escreveu ao meu pai para dizer: eu não tinha mais ninguém, só por isso ele bateu na porta do seu Sebastião. O seu Sebastião serviu ao exército tempo suficiente para conhecer muita gente, o mensageiro escreveu. Há suspeitas de que ele denunciou a célula de Julia, que ela foi presa com os companheiros, mas que o combinado era que não fosse, e o seu Sebastião correu todos os departamentos oficiais para que o acordo fosse cumprido, há suspeita, há indícios. José Antonio Guimarães não respondeu ao mensageiro, mas escreveu ao meu avô, o rascunho feito, a acusação. O rascunho riscado, incompleto. Já quase no final o meu pai pergunta, o senhor está com o meu filho?

Eu procurei *Alice* por toda a casa. Temo pela sobrevivência do livro, a sua capa, o miolo, todas as partes estão prestes a esfarelar. Outro dia, fotografei várias páginas pensando nisso, se ele esfarelasse ao menos teria a imagem, mas enquanto virava as folhas os meus dedos ficaram porosos, pedaços de papel se descolaram ao menor movimento, ainda assim continuei, continuei porque a ideia de não ver mais a letra da minha mãe nas margens era apavorante, um pavor que, acho, nunca senti, um pavor só correspondente ao que poderei escrever mais tarde, se o repouso de Melina não adiantar, se a sua imobilidade for inútil. Continuei porque precisava das frases sublinhadas, *será que nunca vou ficar mais velha do que agora*, Alice perguntou, Lewis Carroll escreveu, minha mãe copiou, o medo da morte, tão fácil entender o medo da morte, procuro *Alice* com esse medo, mesmo correndo o risco do banal, um livro não é uma pessoa, há morte nas guerras agora mesmo, há morte nas esquinas agora mesmo, agora mesmo no cemitério há alguém velado que cumpriu esse medo, ou o superou, há morte e vida na barriga de Melina, escrevo com medo. *Ontem eu estava uma pessoa diferente*, foi a primeira página que fotografei, para assegurar que não vou perdê-la. Eu a olho diariamente, desde menino.

Tenho certeza de que essas não são as palavras certas, porque elas poderiam acabar, me fazendo sumir completamente, como uma vela. Nesse caso, como eu seria?

E tentou imaginar como é a chama de uma vela depois que a vela se apaga.

Caindo, caindo, caindo, a queda não terminaria nunca? As coisas algum dia voltariam ao normal outra vez? A essa altura, só esperava que coisas extraordinárias acontecessem. Muito pouca coisa era realmente impossível.

O meu pai guardou os rascunhos das cartas que escreveu, como se precisasse lembrar de cada palavra. Não há outra carta do meu avô, nenhuma resposta, o meu pai pode nunca ter passado os rascunhos a limpo, nunca as ter enviado. Essa correspondência pode não ter existido, não passado de um esboço, um braço nunca estendido. Mas o seu avô pode ter recebido as cartas e guardado nas caixas que você jogou fora, Melina lembra. Pode ter recebido e não ter aberto. Guardado as cartas fechadas. Ou lido todas e não ter respondido nenhuma. Pode tudo, pode nada. Eu olho as palavras escritas pelo meu pai dessa forma, penso, elas contam o que contam? Olho como algo indecifrável.

Num dos rascunhos, o meu pai disse ao meu avô que fez um pedido a um amigo de infância: jogávamos bola de meia na rua, hoje ele é coronel do exército, em nome dessa amizade de meias reunidas no mesmo bolo fedorento, assuntei pelo paradeiro de Julia. Em nome da infância, esse amigo respondeu: Julia esteve num presídio no Rio de Janeiro, não está mais. Talvez esteja em Petrópolis. Deve estar.

Melina sente de novo dores, pontadas finas no baixo-ventre, pontadas fortes e longas que me fazem ligar para o médico, que o fazem receitar um analgésico e mais repouso. Petrópolis? Melina chora, não sabe como ficar ainda mais imóvel em cima da cama, por dentro também os movimentos são mínimos. Ela recusa o analgésico, prefere ouvir o corpo e sentir a dor. Algo está acontecendo, será que algo está acontecendo? Olívia lhe ensina uma respiração que promete acalmar as profundezas. Melina respira, respira. Há um mal-estar enorme em seu rosto, que logo se apossa do meu. Vamos para a sala, eu digo à Olívia, a minha irmã percebe que trouxe óleo de lavanda e massagem, mas também cartas sobre desaparecimento e morte, todas essas coisas em suas mãos.

Olívia foi embora sem saber que levou a minha mãe a Petrópolis, onde já estava o pai de Melina sentado na calçada, rosto afogado entre as mãos, entre a sua casa e a Casa da Morte. Petrópolis? Melina repete enquanto respira um ar fugidio, enquanto abraça a barriga, o pequeno monte que se forma entre o púbis e o umbigo. Quero pensar no bebê, diz ofegante, mas penso na sua mãe naquela casa, quero pensar na gente, mas penso nas fotos dos mortos, penso no meu pai quebrando a minha máquina, no certificado do curso de fotografia na pasta no armário, na minha mãe chorando no banheiro, no que ela não conseguiu me falar antes de morrer. É possível remontar as palavras, as imagens, os espaços vazios? Vejo o que menina não vi. O meu pai entrando na Casa da Morte, o meu pai com uma câmera na mão, procurando ângulo, luz, foco.

Pego a mão de Melina, entrelaçamos os dedos, os nós se apertam como parafusos.

Você sabia que a placenta é um órgão?, a Olívia que me disse, agora há pouco, Melina diz. Ela contou que quase perdeu o primeiro filho, e nesse momento de quase perda leu num livro, a placenta é um órgão criado só para formar o bebê, começa a existir no mesmo instante em que o óvulo é fecundado. O corpo vai se multiplicar e o que faz? Cria automaticamente um outro órgão para cuidar dessa multiplicação. Ao mesmo tempo que nasce a existência, nasce também o seu amparo. Mas, veja, neste momento, neste momento agora em que falo com você, com a mão na barriga, paralisada, como se fosse eu uma foto, a existência está apenas começando, o amparo ainda não se fez.

Como se meu olhar fosse uma câmera, como se eu me visse por dentro, realizo os meus anseios de infância de tirar fotos das coisas mais estranhas, como dizia a minha mãe, que me deu a máquina, o meu pai, que só se aproximou dela para espatifá-la. As coisas mais estranhas eram uma caneca suja de leite, uma torrada pela metade, uma ferida na pele, um olhar perdido no tempo e no espaço, a coisa mais estranha agora é esse processo que mal iniciou, essa rede que começa a se formar, feita de nossas excreções e substâncias. Olho o início dessa rede, suas tessituras, entrelaçamentos, buscando a sua fragilidade, onde está a fissura, onde está a linha que não se molda às outras, que, a qualquer instante, pode se romper. Busco onde está o risco desse processo não se completar. Você não acha isso a coisa mais estranha, é preciso agora uma força e flexibilidade enormes para sustentar durante meses essa formação, um crescimento sem rompimentos nem quedas até chegar a hora de abandonar toda a resistência e vigor. E, então, a coisa mais estranha de todas será uma explosão interna, uma espécie de cataclismo aparente, pois não há outra forma de nascer a não ser explodindo tudo ao redor. Depois, uma derradeira contração vai cuspir essa rede, que se tornará inútil. O seu trabalho já foi feito e persistir ali seria destruir o que acabou de criar.

Quando abracei Olívia, abracei buscando o que o seu corpo sabe, o que o fez ir até o fim.

Aproximo o meu rosto do ventre de Melina, beijo de leve o pequeno monte. Agora estamos sozinhos em casa, nós dois, nós três, deitados na cama, agarrados em nós mesmos, um repouso impossível. Escrevo impossível, sinto na pele, pela primeira vez, a verdade dessa palavra, o seu sentido nos ameaça, o seu sentido nos aterroriza, só de imaginar, morremos, falhamos, não conseguiremos, será que conseguiremos, nós três? O corpo do meu filho ou filha também é o meu corpo, e também é o corpo de Melina, que o guarda. Nos une agora essa criança que pode viver ou morrer a qualquer instante, nos une também todo o resto já vivo e morto. Escrevo que nos une e apago, mas se não for esse entrelaçamento, o que é, como nos manter separados dessa cena, a minha mãe na casa em Petrópolis enquanto a família de Melina passava de carro a caminho da casa de férias, como ficarmos de fora, a minha mãe assassinada ao lado enquanto o pai de Melina levava fotos de pessoas mortas para casa. Como não estar dentro de nós, e dentro do nosso filho ou filha, o avô que entrega à polícia a própria filha, o pai que deixa para trás o filho, a mãe de Melina chorando no banheiro e o pai sentado na calçada com o rosto sufocado nas mãos, enquanto era fotografado pela filha, pego em flagrante, em flagrante do quê?

Escrevo essas palavras e me pergunto por que as escrevi, por que essas e não outras, por que esses acontecimentos e não outros, escrevo sem saber onde tudo começa e termina, se neles, se em nós, se nessa pequena célula dentro da barriga de Melina, escrevo, Melina, nessa pequena célula estão os meus pais e os seus, nossos filhos também estão, mesmo se não os tivermos, mesmo se não nascerem como se nasce um corpo, nessa pequena célula há um núcleo, onde tudo se revela e se esconde, como agora, como agora que nada nos desengana e tudo já aconteceu, tudo acontecerá, um núcleo inalcançável, escrevo inalcançável e me recuso, como não podemos alcançar esse núcleo, se ele é o lugar onde já estamos, que já existe em nós.

Melina sofre, a dor sem analgésico a faz sentir. Dizem que dentro do corpo é escuro, ela conta, todo o seu funcionamento se passa dentro da escuridão, esse mesmo corpo que dá à luz.

Este livro foi composto na tipografia Minion
Pro, em corpo 11/16, e impresso em
papel off-white no Sistema Cameron da
Divisão Gráfica da Distribuidora Record.